마음의 해독제

-집착을 넘어 자유로

마음의 해독제

집착을 넘어 자유로

김연준 글

mir

| 프롤로그 |

내면의 자유를 향한 여정

삶은 끊임없는 선택의 연속이며, 그 선택들 속에서 우리는 자신을 찾고, 때로는 잃어버리기도 합니다. 우리는 매일 같은 일상을 살아가지만, 마음속 깊은 곳에서는 행복과 자유를 갈망합니다. 이 책은 그러한 마음의 여정을 함께 나누고자 합니다.

현대 사회에서 우리는 물질적인 풍요 속에서도 끊임없이 무언가를 갈구하며, 과거와 미래에 집착하여 현재를 놓치고는 합니다. 이런 집착은 우리를 더 깊은 혼돈 속으로 이끌어가며, 진정한 행복과 자유를 앗아갑니다. 그러나 마음의 해독제를 통해 우리는 이 혼돈을 벗어나 자유로워질 수 있습니다.

이 책은 당신의 마음속에 작은 씨앗을 심고자 합니다. 매일 아침 당신을 위한 아침 인사로, 나를 위한 작은 마음가짐으로, 이 씨앗이 자라나 당신의 내면에 자유와 평화를 가져다줄 것입니다. 이 여정을 통해 당신은 집착을 넘어 자유로 나아가고, 내면의 혼돈 속에서도 행복을 찾을 수 있을 것입니다.

지혜의 씨앗은 당신의 마음속에 이미 존재합니다. 이 책이 그 씨앗을 깨워주기를, 그리고 당신이 자유로운 영혼으로 나아가길 바랍니다. 함께 이 길을 걸어가며, 우리는 더 큰 행복과 자유를 찾을 수 있을 것입니다.

2024년 8월

김연준

| 차례 |

Part 2
삶의 레시피

Part 3
인생의 미로

Part 1

마음의 모험

진실한 마음의 소리

어느 날,
평소에는 들리지 않던
마음의 소리에 반응하게 됩니다.
평소에는 잘 들리지 않고,
돌아봐도 쉽게 들리지 않는 그 소리입니다.

마음의 문이 열리면
공감과 지혜의 문도 함께 열립니다.
눈과 귀가 있어도
진실한 마음을 가진 사람만이
그 진실의 소리에 반응할 수 있습니다.

현실에 얽매인 요령 있는 마음에는
진실이 와 닿지 않으며, 감흥도 없습니다.
들리는 척하거나 듣고도 반응하지 않는다면,
아직 준비되지 않은 것입니다.

눈에 보이는 결과는
눈에 보이지 않는 원인에 의해
만들어집니다.
진실의 종이 울리는 순간,
마음이 열리고 공명하게 됩니다.

그 수많은 공명이 모여
세상을 바꾸는 힘이 되기도 합니다.
마음의 소리를 잘 다듬어,
세상에 진실하게 잘 쓰이게 합니다.

자아의식의 알아차림

하루 일과 중에
수많은 생각과 감정이 일어납니다.
이들은 내가 인지하지 못할 정도로
자주 나타나고 사라지며,
바쁜 일상과 복잡한 뇌 구조 때문에
무의식이 더 많이 작용합니다.
의식적으로 나를 바라보고 알아차리려 하지만
대부분 습관처럼 반복됩니다.

무의식적인 감정에 휘둘려 화가 나기도 하지만,
자각하고 나면 별것 아닌 일에 후회하게 됩니다.
생각과 감정은 실체가 없지만, 현실에 반영됩니다.
숨을 들이쉬고 내쉬는 그 순간이 나를 자각하는
유일한 순간입니다.

일상에서 숨을 쉬지만, 내가 숨 쉬고 있음을
자각하지 못합니다.
일상 속에서 깨어있는 자아의식을 알아차려야

주체적인 삶을 살 수 있습니다.

습관적인 무의식과 감정에 휘둘리지 않기 위해
호흡에 집중하는 연습이 필요합니다.

일상의 수많은 작용에도
고요하고 평온한 상태를 유지하는 것이
깨우침의 궁극입니다.

오늘도 일상의 수많은 작용에 이끌리기보다,
내 마음의 움직임을 살피고 깨어있는 하루 되어봅니다.

깨달음의 길이란

깨달음은 높은 경지처럼 보이지만,
사실은 현실의 가장 낮은 진실을 자각하는 것입니다.
옳다는 생각에서 벗어나 아집을 내려놓는 것이
깨달음의 바탕입니다.

일상에서 수많은 현상이
무상, 무념, 무아임을 깨닫는 것입니다.
인간의 뇌는 망상을 자주 일으키고,
우리는 그 망상에 휘둘리며
어리석음에서 벗어나지 못합니다.

마음을 비우고 싶어도
업식과 관념이 우리를 지배하여
쉽게 놓을 수 없습니다.

옳다는 생각을 버리고,
모든 것이 내 마음에서 비롯됨을 알아야 합니다.
매 순간 자각하고 깨어있어야 합니다.

마음이 어디에도 이끌리지 않고
고요하고 평온한 상태를 유지하는 것이
깨달음의 완전한 상태입니다.

깨달음은 이상적인 현상이 아니라,
매 순간 자각하고 알아차리며
주체적인 삶을 살게 하는 원동력입니다.
오늘도 아집에서 벗어나,
대상과 현상을 있는 그대로 바라보며
평온한 하루 되어봅니다.

관념의 틀을 바꾸자

우리의 일상은 대부분
내가 옳다는 관념으로 평가됩니다.
그러나 지혜로운 사람은 나를 기준으로 하지 않고,
상대의 입장과 마음을 헤아려 생각하고 행동합니다.

자연, 삶, 몸, 사회 모두
사회적 연결고리로 형성된 사슬입니다.
사회성이 좋고 관계를 잘 풀어내는 리더는
이러한 점을 이해합니다.

깨달음은 대단한 것이 아니라,
고정관념을 조금 바꾸는 것입니다.
작은 변화가 삶의 방향과 카르마에
큰 영향을 줍니다.

이 깨달음은 지혜가 되어
관계와 사회에 선한 영향력을 미치며,
시너지 효과를 냅니다.

주변의 깨달음을 쉽게 보지 못하지만,
한번 마음을 열면 변화가 옵니다.

그 변화를 바탕으로 꾸준히 연습하면
업식이 바뀌고 삶의 태도가 바뀝니다.
오늘도 열린 마음으로 관계를 살피고,
지혜로운 하루 되어봅니다.

진정한 자유

우리는 행복과 자유를 추구하지만,
불행과 구속에서 벗어나지 못합니다.
잘 먹지만 비만에 허덕이고,
잘 살지만, 물질에 이끌리며,
잘 놀지만, 욕구에 이끌립니다.

행복을 추구하지만,
불행에 휘둘리기도 합니다.
행복을 추구하는 행위 속에는
항상 반대급부가 존재합니다.
적게 입고, 적게 먹고, 적게 자고,
적게 가지면 아무 문제 없었던 것들이
많이 가질수록 오히려 그 때문에 고통받습니다.

자유로워지려면 집착과 욕구에서 벗어나야 합니다.
알면서도 쉽지 않은 것은
세월의 업식이 나를 지배하기 때문입니다.
한 생각 돌이켜 술이 해롭고, 담배가 몸을 좀먹으며,

순간의 달콤함이 해가 된다는 것을 알면
그런 행동을 하지 않을 것입니다.

지금 내가 무엇에 이끌리고 집착하고 있는지
가만히 들여다봅니다.
늘 부족하다고 느끼며 욕구불만을 채우려 합니다.
진정한 행복과 자유는 넘치는 것을 덜어내어
내면의 과포화를 줄이는 것입니다.
욕심과 집착에서 벗어나야 합니다.

오늘도 주어진 것에 감사하며,
매 순간 자각하여 업식에 이끌리지 않는
자유롭고 행복한 하루 되어봅니다.

마음의 창

얼굴을 보면 그 사람의 건강 상태뿐만 아니라
마음의 상태도 알 수 있습니다.
얼굴은 마음의 거울이기 때문입니다.
내 마음 상태가 얼굴에 고스란히 반영됩니다.

건강을 돌보지 않아 비만이 되듯이,
눈도 노안으로 흐리게 보일 수 있습니다.
마음의 거울도 자주 닦아 주어야 하듯이,
마음 씀에 따라 영혼의 맑기도 달라집니다.

사실 마음은 본래 깨끗하고 더러움이 없습니다.
우리의 관념이 그렇게 인식하게 만들 뿐입니다.
애써 비우기보다는 주어진 각자의 그릇을 알아차립니다.
비워도, 닦으려 해도 고착화 되어 말끔해지지 않기도 합니다.

오늘은 흐리고 비가 오나 보다,
내일은 햇볕에 맑은 날이구나 하며
현재의 내 마음 상태를 알아보고 챙겨주는 것만으로도

이미 마음은 맑음 상태가 되기도 합니다.

애써 비우기보다는 매 순간 나를 알아주고
토닥여 주는 것만으로도 하루하루가 맑고
깨끗하게 유지될 수 있습니다.
오늘도 순간에 깨어있어 나를 살피는
행복한 하루 되어봅니다.

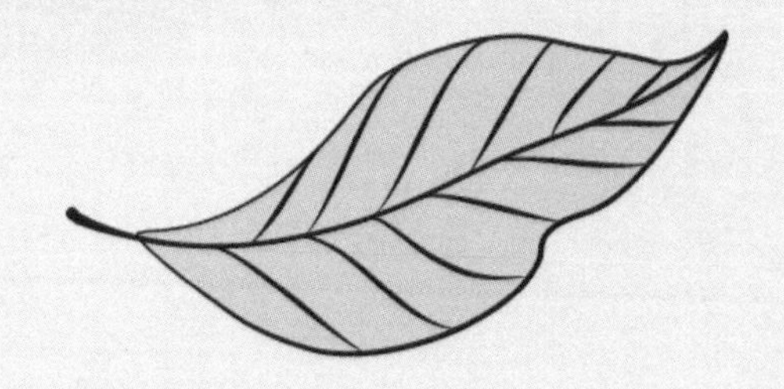

마음의 정화작용

자연은 스스로 자율조절하는 자정 능력을 갖추고 있습니다.
우리 몸도 과유불급이라 넘치면 모자람만 못합니다.
세포가 힘들어하면 운동을 하게 되고,
반응점이 낮으면 단식으로 기초대사량을 초기화합니다.

잠시 쉼만으로도 세포는 정화되고 재세팅됩니다.
마음도 집착과 욕심으로 비만도가 높아질 때
명상으로 비워야 합니다.

마음을 비우고 정화하는 일은 쉽지 않지만,
꾸준히 자아 성찰을 해봅니다.
심신의 혼연일체가 온전한 물아일체로
거듭나는 상태가 청정함입니다.

오늘도 내 몸의 세포 반응과 마음자리를 살피는
여여한 하루 되어봅니다.

한 생각 바꾸면

세상에는 본래 좋고 나쁨이 없습니다.
그러나 우리는 관념에 따라 옳고 그름을 판단합니다.
우리 몸에는 다양한 세균과 바이러스가 존재하지만,
이는 서로 공생하는 관계일 뿐입니다.

분별심이 생기는 순간, 제거하려는 생각이 들지만,
그냥 받아들이고 순응하면 큰 문제가 되지 않습니다.
현상과 상황은 그저 존재할 뿐이고,
그것을 바라보는 각자의 생각이 있을 뿐입니다.
아무 문제가 없는데도 습관적 반응에 끌려갑니다.
대상을 있는 그대로 바라보는 지혜가 필요합니다.

모든 것은 마음에서 비롯됨을 알고,
분별없이 있는 그대로 바라보는 지혜의 눈을 가져봅니다.
우리는 본래 아무 문제가 없습니다.
생각 하나 바꾸면 누구나 자유롭고 행복할 수 있습니다.
오늘도 대상을 있는 그대로 바라보며,
분별심 없이 깨어있는 행복한 하루 되어봅니다.

인내와 환골탈태

인내는 성공의 어머니라고 하며
참는 것이 미덕이라고도 합니다.
그러나 참는 것이 항상 좋은 것은 아니며,
참으면 병이 된다고도 합니다.
참는 것에는 여러 의미가 있습니다.
참으며 버티고, 기다리고, 무르익어가는 과정입니다.
인내는 시의적절한 의미가 있습니다.

벼가 익으면 고개를 숙이듯,
참는 자에게 복이 온다고 합니다.
인내의 이면에는 삶의 지혜가 담겨 있습니다.
솔개가 부리를 부수어 다시 살아가는 것처럼,
당신도 이미 인내의 쓰고 단맛을 경험한 마라토너입니다.
하늘을 보며 숨을 내쉬고
긴장된 생각과 마음을 내려놓아 보세요.
그러면 배에 힘이 풀리고 긴장이 해소되어
관계에서도 평안함을 느낄 수 있습니다.
그동안 애쓰신 여러분, 오늘도 행복한 하루 되어 봅니다.

생각의 작용

생각에는 옳고 그름이 없습니다.
그저 떠오르는 관념일 뿐입니다.
구름이 떠가고 바람이 불듯이 생각도 그냥 일어날 뿐입니다.

망상, 집착, 아집과 같은 생각은
마음의 반응에 대한 현상입니다.
생각을 잘 끌어내어 상상을 현실로 만드는 사람도 있지만,
생각에 사로잡혀 불필요한 망상에 이끌려
원망하는 마음이 생기기도 합니다.

생각은 내 마음의 욕구적 반응일 가능성이 큽니다.
따라서 생각에 이끌리기보다는 그냥 바라보는 것이 좋습니다.
생각의 작용을 가만히 바라보면
일부는 사라지고 일부는 현실에 반영됩니다.

그런데도 생각에 집착하기보다는
생각이 일어나는구나 하고 바라봅니다.
애써 생각을 키우거나 이끌리게 되면

현실에 반영되면서 내 마음이 흔들리기도 합니다.

늘 깨어있는 것은 고요한 가운데 나를 살피고,
이끌림 없는 고요하고 적정한 내 마음자리를
살피는 시간입니다.

그렇게 하면 불필요한 망상 같은 생각들이
사라지고 잠자리도 편안해집니다.
모든 것은 내 마음이 일으킵니다.
나로부터 비롯되어 나에게 돌아옴을 압니다.
오늘도 매 순간 나를 살피며
행복한 하루 되어봅니다.

뇌와 시간의 일깨움

시작이 반이다. 시작이 전부다.
시작하지 않으면 아무것도 이룰 수 없습니다.
우리는 일상에서 많은 관념에 이끌려 머릿속에서
온갖 분별심에 빠집니다.

이래서 안 되고, 저래서 안 되고,
결국, 뇌의 작용에 이끌려 해보기도 전에 포기하고 맙니다.
나이에 걸림이 생기고, 시간에 구애받고, 마음이 불편해집니다.

정신이 육체를 지배하는 듯하지만,
육체가 결국 정신상태를 바꾸기도 합니다.
그냥 합니다. 그냥 해봅니다.
도전해보니 몸이 먼저 반응함을 알게 됩니다.

동물의 본능은 육체에 깃든 세포 작용을 먼저 일깨우면
생체 리듬은 자연스럽게 잡힙니다.
불필요한 망상에 사로잡힐 때,
망설이지 말고 몸을 먼저 움직이는 연습을 해봅니다.

해보고 나니 아무것도 아님을 깨닫게 됩니다.
시작이 전부입니다.
살아있는 내 안의 열정을 일깨우며
멋진 하루 시작해 봅니다.

내 안의 프리즘

시각적 프리즘은 외형적 색깔을 비추고,
심상적 프리즘은 내향적 마음의 빛깔을 비춥니다.
우리는 모두 서로 다른 프리즘을 가지고 있습니다.

틀린 것이 아니라 다름을 아는 지혜입니다.
서로 다른 색이 조금씩 희석되는 과정을 통해
많은 것이 조율되고 합일되는 순서가 있습니다.

나에게 드리워진 많은 색이 희석되고,
나로부터 비추어진 색이
어딘가에 좋은 영향을 미치도록 합니다.

오늘도 색에 연연하지 않고
있는 그대로의 모습을 비추는 여여한 하루 되어봅니다.

무한 신뢰의 형성

신뢰는 마음의 교감이자 서로 확신하는 믿음의 바탕입니다.
전쟁터에서는 때론 내 생명을 동료에게 믿고 의지합니다.
사업 파트너와의 신뢰는 성공과 실패를 넘어
더 큰 성장을 이끄는 기초입니다.
수많은 관계에서 형성된 신뢰는 진실한 마음의 합일체입니다.

열 길 물속은 알아도 한 길 사람 속은 모른다고 합니다.
마음은 조건과 욕심 앞에서 수없이 무너질 수 있습니다.
그럼에도 불구하고 지고지순한 무한 신뢰를
항상 유지하는 현자가 있습니다.
상대에게 기대지 않고 온전히 항상 하는 마음을
유지하는 사람입니다.

신뢰는 관계 이전에 자신과 진득한 약속이자 확신입니다.
진득함은 백 마디 말보다 바위처럼 단단한
신뢰의 바탕이 됩니다.
신뢰의 나이테가 고르게 형성되는 내 마음을 살피는
여여한 하루 되어봅니다.

지금 여기 깨어있기

지나온 흔적은 내가 살았던 길,
지금의 흔적은 내가 만드는 길,
미래의 흔적은 내가 그려갈 길입니다.

모든 삶의 흔적은 매 순간 애쓴 발자취일 뿐입니다.
숨 쉬고 있는 지금이 내가 행복해야 할 유일한 시간입니다.
지나온 일이나 오지 않은 일에 자신을 묶어놓지 않습니다.

지금의 나를 온전히 하여
좀 더 가볍고 행복한 나로 나아가는 유일한 길은
지금 여기에 깨어있기,
들숨과 날숨의 알아차림,
그리고 지금 이 순간 행복하기입니다.

오늘도 과거와 미래에 지배받는 내가 아닌,
지금 여기 오롯이 깨어있어 매 순간
자유로운 나로 나아갑니다.

무의식에 깨어나기

사람은 무의식에 항상 지배받는
시스템적 오류가 있습니다.
일상의 대부분을 의식하지 못하고
고착된 습성에 이끌려 행동합니다.
무의식은 이미 오래전에 형성된
어리석은 습관의 관념입니다.

잠시 바꾸려고 시도해도
생각의 틈새로 다시 일어납니다.
무의식적 행동을 인식하고 늘 깨어있어
알아차리라고 합니다.

알아차림은 눈뜬장님이 아니라
지금 내 행동을 자각하는 순간입니다.
그러나 무의식적 행동들이
나를 더 지배하기에 어렵습니다.

그래서 이미 화가 나고 지나친 것이라도

인식하고 반성하는 연습을 해보라는 말입니다.
그조차 하지 않으면 생각 없이 수많은 무의식에
지배당하게 됩니다. 이를 까르마라고 합니다.
애쓰지 않고 습관대로 해도 문제가 없습니다.
그 결과를 받아들이고 화가 없다면 말입니다.

왜 해야 하냐고 묻는다면,
내가 자유롭고 행복하기 위한 시작이기 때문입니다.
오늘도 매 순간 깨어있고 알아차림으로 의식하며
주인 된 하루 되어봅니다.

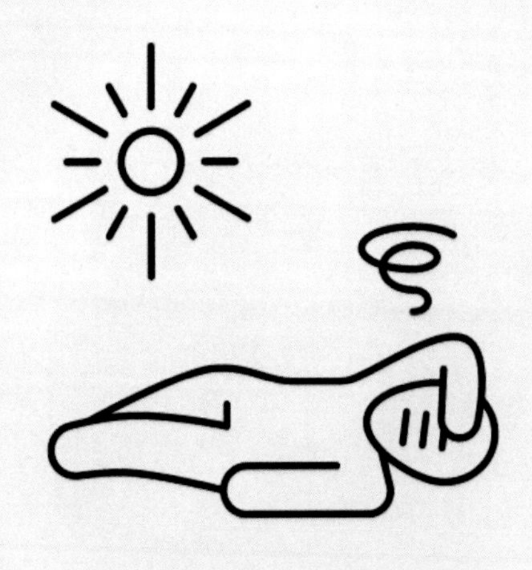

지금 이대로 좋습니다.

경쟁과 이기심을 바탕으로 한 교육이
우리 모두를 비교하게 만듭니다.
상대를 이기고 따라잡아야 한다는 욕심이
평생 나를 이끕니다.
물질, 학벌, 돈, 명예, 권력 등 모든 것이
그렇게 쟁취된 것이기에 죽을 때까지 놓지 못합니다.

내가 잘나서 그런 것 같지만
사실은 상대가 있기에 나에게 주어진 것이지,
내가 특별히 잘나서가 아닙니다.
우리는 모두 자기 허상에 사로잡혀
내 생각과 판단이 옳다는 아집에 빠져 살아갑니다.
비교하고 노력해서 얻되, 그것에 집착하지 말고
허상에 휘둘리지 않는 자기 정체성을 알아야 합니다.

비로소 보이는 감사한 것들을 가만히 바라보면,
어느 것 하나 소중하지 않은 것이 없습니다.
감추어진 내 본성과 진실을 살펴 주어진 것에 감사하고

일상에 순응하는 마음을 가집니다.

지금 이대로도 좋습니다.
지금 이대로도 행복합니다.
지금 이대로도 감사합니다.

긍정으로 바라보기

참다 참다 보니,

하다 하다 보니,

보자 보자 하니 하는 말은

더 이상 참을 수 없을 때 폭발하듯이 쏟아내는 표현입니다.

이는 착한 콤플렉스를 가진 사람들이

자기 자신을 지나치게 억누르는 전형적인 모습입니다.

나는 착하다고 하지만, 내가 옳다는 고집에 사로잡혀

화를 자초하기도 합니다.

단순함과 예민함의 차이는

대상을 있는 그대로 보느냐,

아니면 분별심으로 바라보느냐에 있습니다.

그렇구나,

그러려니,

그럴 수도 있지 하는

가벼운 마음으로 상대를 바라보면

큰일도 별일이 아니게 보입니다.

상대방의 들고 날뜀은
그 사람의 진솔한 마음 바탕이므로
가만히 바라보고 이해해줍니다.
주변의 관계에 불만을 느끼기보다는
가볍게 소통하고 이해하는 마음을 가지는 것이 좋습니다.

모든 분별심은 잘하려는 마음에서 비롯되므로,
이를 순간 알아차리면 크게 부딪힐 일이 없어집니다.
오늘도 나보다는 대상을 이해하고 공감하며
맞추는 연습을 해봅니다.
그러면 관계가 한결 편안해집니다.

경계의 빗장을 풀자

가족, 친구, 연인, 직장 등 모든 관계에는
보이지 않는 끈이 있습니다.
서로 자유롭지만, 기대와 바람이 관계의 족쇄가 됩니다.
내가 옳다는 기준이 강할수록 상대를 틀리다고
원망하게 됩니다.

대상을 있는 그대로 보지 못하고
망상과 착각이 눈을 가립니다.
모든 분별은 대상이 주는 것 같지만,
사실 내 마음의 반응입니다.

용서는 하는 것이 아니라,
먼저 내 마음의 경계를 푸는 것입니다.
용서할 필요가 없음을 깨닫는 것이 진정한 용서입니다.
아는 만큼 보이고, 아는 만큼 행하며,
자기만큼만 살아갑니다.

눈에 보이는 현실과 복잡한 뇌 작용이 아닌,
마음으로 사고합시다.

용서라는 단어는 이미 스스로 족쇄를 채운 것입니다.
모든 경계는 내가 만든 것이므로
스스로 풀어야 자유로워집니다.
관념에 시달려 상을 짓지 말고
있는 그대로 보는 연습을 합니다.

내 몸에 귀 기울이기

우리 몸은 늘 애쓰고 살피지 않으면
제대로 유지되지 않습니다.
무분별하게 사용하면
그 결과는 되돌리기 힘들 수 있습니다.

욕구와 만끽에 이끌린 겉모습의 화려함은
내면의 피곤함을 동반합니다.
매일 매스컴에서 쏟아지는 아우성처럼,
우리 몸속에서도 소리 없는 아우성이 늘 존재합니다.

젊을 때는 '이 정도쯤이야' 하던 것도
중년이 넘으면 무감각하게 넘겨버립니다.
그 사이에 몸의 세포는 비정상적으로 분열을 시작합니다.
내 몸을 가만히 살피며 세포의 아우성에 귀 기울여야
문제를 파악할 수 있습니다.

늘 교감하고 살펴야 해결책이 보이고,
나와 다른 사람의 몸도 보이기 시작합니다.
오늘도 나를 느끼고 살피며,
귀 기울이는 깨어있는 하루 되어봅니다.

경계가 없는 지혜

지금까지 살아온 과정은
매 순간 수많은 선택의 결과입니다.
순간의 선택이 평생을 좌우할 수 있지만,
그 선택이 항상 옳거나 좋은 결과를
가져오는 것은 아닙니다.
본능에 충실한 순간의 선택은 후회와
참회의 흔적을 남깁니다.

자연과 세상은 주기적인 흐름을 형성하며
일정 사이클을 따릅니다.
굳이 선택하지 않아도 거대한 흐름에 의해
어떤 방향으로든 나아가게 됩니다.

자연의 약육강식은 철저히
적자생존의 패턴을 따릅니다.
인간만이 순간의 무지에 의해
자신의 선택이 옳다고 착각합니다.

행복과 불행, 슬픔과 기쁨, 성공과 실패는
일정 주기로 반복되는 윤회와 같습니다.
이러한 경계에 끄달려 욕구에 대한 불만을 느낍니다.
매 순간 선택의 갈림길에서 순리를 따를지,
어리석은 뇌 회로에 맡길지 고민하게 됩니다.
감정에 충실한 선택과 이성적 판단 사이에서 갈등합니다.

일상의 무지에 깨어있어야 비로소
경계에 휘둘리지 않고 주체적인 삶을 살 수 있습니다.
양극단에 부딪힐 때, 매 순간 경계 없이
지혜로운 판단을 해봅니다.

자연과 나의 동일시

자연의 순리는 먹고 배설하며,
종족 번식을 위한 생존 투쟁입니다.
인간의 삶도 끝없는 경쟁 속에서 생존해야 합니다.
하지만 자연은 필요한 만큼만 취하는 반면,
인간은 과하게 축적하며 살아갑니다.

우리 몸도 적당히 먹고 움직이며,
적당히 비워야 건강한 상태를 유지합니다.
물질과 문명의 과욕은 우리 몸과 마음에
해로움을 가득 채웁니다.
경유차에 휘발유를 넣으면 망가지듯이,
내 몸에 들이부은 화학 식독이 오장을 망칩니다.

발효로 장 환경을 바꾸고,
물, 공기, 햇볕, 그리고 움직임으로 몸을 정화해야 합니다.
신토불이는 자연과 나를 동일시하며,
모든 생명의 근원이 자연임을 인식하는 것입니다.
적당히 먹고, 움직이고, 배설하며

심신을 평온하게 유지하는 것이 중요합니다.

인간이 제어하지 못하는 과도한 욕구는
내 몸도 자연도 해칩니다.
도심을 벗어나 자연의 맑은 공기 속에서
본성을 일깨워 봅니다.

주어진 것에 감사하며, 욕구불만보다는 자연의 순리를
따르는 하루 되어봅니다.

상처는 비우고 정리하자

친구와 놀다 보면 다치기도 하고 싸우기도 합니다.
그러나 언제 그랬냐는 듯이 금세 다시 같이 놀게 됩니다.
어렸을 때 형과 먹을 것을 두고 싸워도, 형은 늘 형이었습니다.

어른이 되어보니 서로 바쁜 일상 속에서 보지 못하고,
이해하지 못하는 벽이 생겼습니다.
작은 것에 상처받고 해소되지 않아 마음이 불편해집니다.
과거를 돌아보면 작은 일이 크게 부풀려져
반복적으로 각인되곤 합니다.

관계 속에서 형성된 일들은 늘 있었던 일이지만,
내 마음에는 습관적으로 상처로 남습니다.
마음에 담아둔 상처의 기억을 기꺼이 쏟아내고,
자유롭고 행복한 삶을 만들어 가봅니다.
이후로 형성된 생채기는 그날 그 순간 바로 비우고
정리하는 습관을 들여봅니다.
오늘도 일상 속에서 깨어있어, 쓰레기는 담지 말고
상처는 어루만지는 하루 되어봅니다.

다 괜찮은 일이다

약속이 있는데 또 다른 약속이 갑자기 생기면
우리는 선택을 해야 합니다.
두 가지 약속을 다 지키기, 중요한 약속을 먼저 하기,
급한 약속을 먼저 처리하기, 어떤 선택을 해도 괜찮습니다.
그 결과는 모두 내 몫입니다.

토끼 두 마리가 있는데, 두 마리 모두 잡고 싶은 것이
우리의 욕심입니다.
둘 중 하나만 잡아도 되지만, 욕심을 부리다가
둘 다 놓치고 후회합니다.

바쁜 일상에서 너무 많은 관계를 맺다 보면
여기저기 신경 쓰게 되어 온전한 관계를 맺지 못하게 됩니다.
하나에 온전히 집중하며 제대로 된 관계의 정리도 필요합니다.

하지만 우리는 어떤 선택과 삶을 살아도 괜찮습니다.
내가 옳다 그르다, 중요하다 급하다 단정 지었을 뿐,
모든 일은 늘 일어나게 마련입니다.

오늘도 일상에서 일어나고 펼쳐지는 모든 것에
기꺼이 수순하고 감사한 마음을 내어봅니다.

잠시 멈추며 자각하기

가만히 앉아서 눈을 감고 숨을 쉽니다.
내 몸에서 느껴지는 것과 머릿속에서 떠오르는
생각들을 가만히 바라봅니다.

가만히 있는 것조차 불편하고 아픈 곳이 신경 쓰입니다.
머릿속에는 이런저런 근심과 망상이 끊임없이 일어납니다.
얼마 지나지 않아 호흡은 사라지고 몸과 마음은 요동칩니다.
바쁜 일상에 나를 놓치고 의식하지 못했을 뿐,
이는 매일 일어나고 사라지는 일들입니다.

깨어있음과 알아차림은 늘 무의식에 놓친 나를
자각하는 의식의 순간입니다.
잠시 멈추면 비로소 보이는 것들,
나뿐 아니라 일상의 소소한 것들을 알아차리는
깨어있는 자각의 순간입니다.

오늘도 바쁜 일과 중에 잠시 멈추어 코끝 숨결을 느끼고
나를 살피는 시간을 가져봅니다.

자연으로 돌아가라

자연에 살아있는 모든 생명체는 환경에서 살아남는
방법을 알고 있습니다.
물과 햇볕을 이용하고 뿌리를 내려야 살 수 있다는
본능적인 지혜를 가지고 있습니다.

생명체는 산소 포화도, 수심, 온도, 일조량에 따라
적응적 진화를 합니다.
살아남기까지는 수많은 희생과 부딪힘이 수반된
소중한 생명의 결실입니다.

자연은 아름답고 평화롭게 보이지만,
눈에 보이지 않는 도전과 희생이 공존합니다.
인간은 뇌의 발달로 인해 채워지지 않는 욕구로
허겁지겁 살아갑니다.

자연은 필요한 만큼만 뿌리고 얻는
일정한 패턴과 종족 번식으로 조절됩니다.
그러나 인간은 진리를 거스르는 욕심으로

질병과 자연파괴를 초래합니다.

자연으로 돌아가고 원시 식단으로 바꾸면
몸과 마음이 본래의 감각을 되찾게 됩니다.
자연은 불평 없이 순응하는데, 인간은 물질 만능 앞에서
불행하다고 아우성칩니다.

자연과 인간 이면의 지성은 조건과 환경에 따른
적정한 선택과 어우러짐입니다.
오늘도 욕구의 갈망 속에서 어떤 마음이 일어나는지,
풍요 속의 빈곤을 살피는 하루 되어봅니다.

깨달음의 지혜

인생은 우리를 위해 많은 것을 준비해놓았습니다.
모든 희로애락은 멋진 삶의 그림에 필요한 재료들입니다.
지금 느끼는 고통도 그림의 한 부분이 될 것입니다.

내게 주어진 흰 도화지에 내가 원하는 그림을 그려봅니다.
주어진 조건과 환경 속에서 그려진 그림에는
삶의 애환과 인생이 담깁니다.

한 치 앞을 내다볼 수 없는 어둠 속에서도
환한 빛과 지혜의 삶을 그리는 멋진 화가가 되어봅니다.
오늘도 부족한 재료를 탓하기보다는, 내 마음의 어리석음을
깨달아 수순하는 마음 내어봅니다.

인생의 좌표

세상을 살아가다 보면
지금 내가 가는 길이 맞는지 고민하게 됩니다.
잘못된 길에 들어서더라도, 가고자 하는 방향이
분명하다면 괜찮습니다.
등산 중 중턱에 이르러 잠시 쉬며 올라온 뒤안길을 돌아봅니다.
머리로는 오고 가야 할 동선과 함께하는 사람들을
살피게 됩니다.

인생도 수많은 역경을 겪다 보면 가끔 쉼을 맛보게 됩니다.
마라톤 선수가 전환점에서 잠시 숨을 고른 후
페이스를 유지하듯이 말입니다.
누구나 길, 중턱, 동선, 쉼, 전환점처럼 중요한
지점들을 살피게 됩니다.

동물들도 물과 먹이를 찾아 좋은 환경을 찾고,
열악한 환경에서도 종족 번식을 합니다.
인간도 왜? 어떻게? 어디로? 무엇 때문에? 등의 의문과
탐구로 인생의 좌표를 살피게 됩니다.

나는 누구인가?

여기는 어디인가?

내가 가는 길이 맞는가?

오늘도 이러한 질문들을 살피며 행복한 하루 되어봅니다.

새벽 기운의 일깨움

지구와 자연은 일정한 패턴을 유지합니다.
인간도 자연환경 속에서는 자연의 주기를 따랐습니다.
그러나 문명 속에 길들여지면서 많은 것을 놓치고
잃어가고 있습니다.

새벽은 아침을 맞이하고 하루를 시작하는 시발점입니다.
밤낮이 바뀐 요즘 젊은이들의 새로운 트렌드는
심신의 불균형을 초래합니다.
모든 순환 구조에는 일정한 흐름이 있는데,
이 부조화는 심각한 결과를 낳습니다.

내 몸의 세포가 반응하는 새벽의 일깨움은
오늘 하루를 기동하는 원동력입니다.
오늘 새벽을 맞이하는 것은 큰 선물입니다.

사슬의 연기적 관계

끈, 연결, 관계, 조직, 사회, 자연, 우주는
생태계와 관계망의 이면을 나타냅니다.
나 개인은 독립된 주체이지만,
나 역시 수많은 조각 퍼즐의 일부입니다.
가족의 끈끈한 정, 사회의 조직적 관계,
국가의 사회관계망은 우리의 삶의 터전입니다.

자연의 위대함 이면에는 보이지 않는 약육강식,
먹이사슬, 적자생존의 연결고리가 있습니다.
관계의 끈은 모든 조직적 시스템이 잘 돌아가게 하는
근원의 원동력입니다.

우리가 지금껏 거쳐온 과정과 앞으로 나아갈 방향에는
보이지 않는 힘이 있습니다.
그 힘은 '나'가 아닌 '우리'라는 큰 틀의
아우라와 같습니다.

나는 아무것도 아닌 존재가 아니라,

거대한 관계망을 유지하는 중요한 조각입니다.
오늘도 주어진 모든 것에 감사하며, 삶의 무게를
가볍게 펼쳐나가는 지혜로운 하루 되어봅니다.

새벽의 고요한 성찰

자연은 해가 지면 잠들고, 해가 뜨면 깨어납니다.
사람도 오랜 세월 자연의 일정한 사이클에 적응해 왔습니다.
일찍 일어나는 새가 벌레를 잡는 이유는 문명의 발달과
게으름으로 사라졌습니다.

24시간 불이 켜진 생활은 생체 리듬을
모두 바꾸어 놓았습니다.
그럼에도 하루를 맑은 마음으로 시작하는 것은 중요합니다.
매일 새롭고 즐겁고 행복한 새벽의 고요한
자기 성찰 시간입니다.

요가, 독서, 산책, 다도, 명상 등 어떤 활동이든
온전히 나를 인식하는 유일한 시간입니다.
모든 생명이 새벽에 눈을 뜨듯,
자기 합리화하지 말고 그냥 일어나 해봅니다.

몸의 체세포가 반응하고 기동하면

몸과 마음이 리셋되어 편안해집니다.

오늘도 눈 뜨고 일어날 수 있음에 감사하며

새로운 새벽을 열어봅니다.

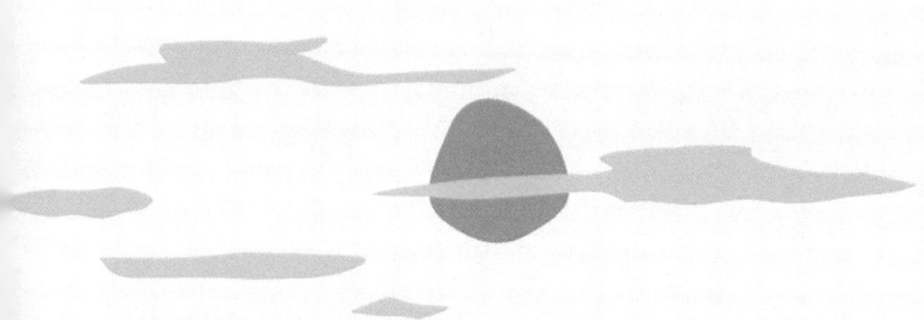

불편한 마음 소리

마음에 소음이 일면 불편, 불안, 우울, 초조,
들뜸 같은 마음작용이 생깁니다.
이는 일상 환경에 따라 대상과 부딪히며 반응하는 것입니다.
내면의 열악한 환경이 세포들의 심리불안을 일으킵니다.
자연과 함께 힐링하는 순간,
심신의 평온함과 원초적 감각이 반응합니다.

계곡, 나무, 빗소리 같은 백색 소음은
심신과 감정을 안정시킵니다.
고요한 아침에 차 한잔과 명상도 세포를 활성화해
편안하게 만듭니다.

마음이 들뜨면 잠시 눈을 감고 들숨과 날숨에 집중해보세요.
이는 신체적, 정신적, 심리적 불안을 차분하고
편안하게 해줍니다.
오늘도 깨어있는 자아의식을 유지하며
평온한 하루 되어봅니다.

화(火) 바라보고 이해하기

희노애락은 인류가 사회적 관계를 유지하면서
자연스럽게 반응하는 감정 표현입니다.
향락에 빠지면 일상이 고락(苦樂)의 반복으로 허덕이게 됩니다.
심하면 화병, 웃음 병처럼 질병이 되기도 합니다.

화는 상대가 주기보다 내가 원하는 것이 뜻대로 안 될 때
생기는 과민반응입니다.
화를 조절하기보다는 화가 일어나는 시점을 알아차려
더 커지지 않게 합니다.

습관적, 관념적, 무의식적 반응을 알아차리는 연습만으로도
화가 확산되지 않습니다.
화가 나기 전에 그 반응을 알아차리고,
"화가 나는구나!" 하고 알아차림 합니다.

화는 이해와 사고력이 부족할수록 커지는데,
상대가 곧 나임을 자각합니다.
내려놓고 하심하는 것보다 더 쉬운 방법은

의식을 두고 화를 맞이하는 것입니다.

상대의 화를 알아차리고 이해하면,
습관적 화는 순간적으로 일어났다 사라집니다.
화는 잠시 일어나고 사라질 뿐, 실체가 없는 것에
꼭두각시놀음처럼 휘둘리지 않습니다.
모든 것은 내가 뿌린 씨앗이고 나로부터 비롯됨을 알아,
늘 깨어있는 하루 되어봅니다.

초 긍정의 삶

사람은 필요한 것만 보고 듣는 습성이 있어
상대를 이해하기 어렵습니다.
일상은 내가 좋고 편리한 것들로 세팅하고
그것이 정답이라고 믿습니다.
그러나 내 기준이 상대에게도 공감될 것이라는 착각을 합니다.
좋은 관계는 서로를 이해하고 다름을 인정하며
마음을 나누는 것입니다.

일상의 긍정적 사고와 포용력은 사회적 관계를 돈독히 합니다.
열린 사고는 사람들 마음에 하모니를 이룹니다.
관계는 색깔론보다 다양함이 연결되어 공생하는
하나 된 마음입니다.

우리 생태계를 잘 가꾸고 교감하며
돈독한 마음을 이루는 하루 되어봅니다.

Part 2

삶의 레시피

상대를 위한 것이 나를 위한 일

상대에게 맞추는 연습은
서로에게 도움이 됩니다.
상대를 위한 마음,
상대가 잘 되는 마음은 소중합니다.
그러나 가끔은 이러한 마음이
갈등을 일으키기도 합니다.

누군가를 위한다는 마음보다는,
그냥 자연스럽게 행동할 때
서로에게 좋고 나 자신도 행복해집니다.
기대하지 않는 큰 사랑이
우리 삶을 더 행복하게 만듭니다.

남을 위하는 마음이
곧 나를 위한 큰마음임을 깨닫습니다.
오늘도 나누고 베풀되, 아무런 기대 없이
너와 내가 하나 되는 멋진 하루를 만들어 가봅니다.

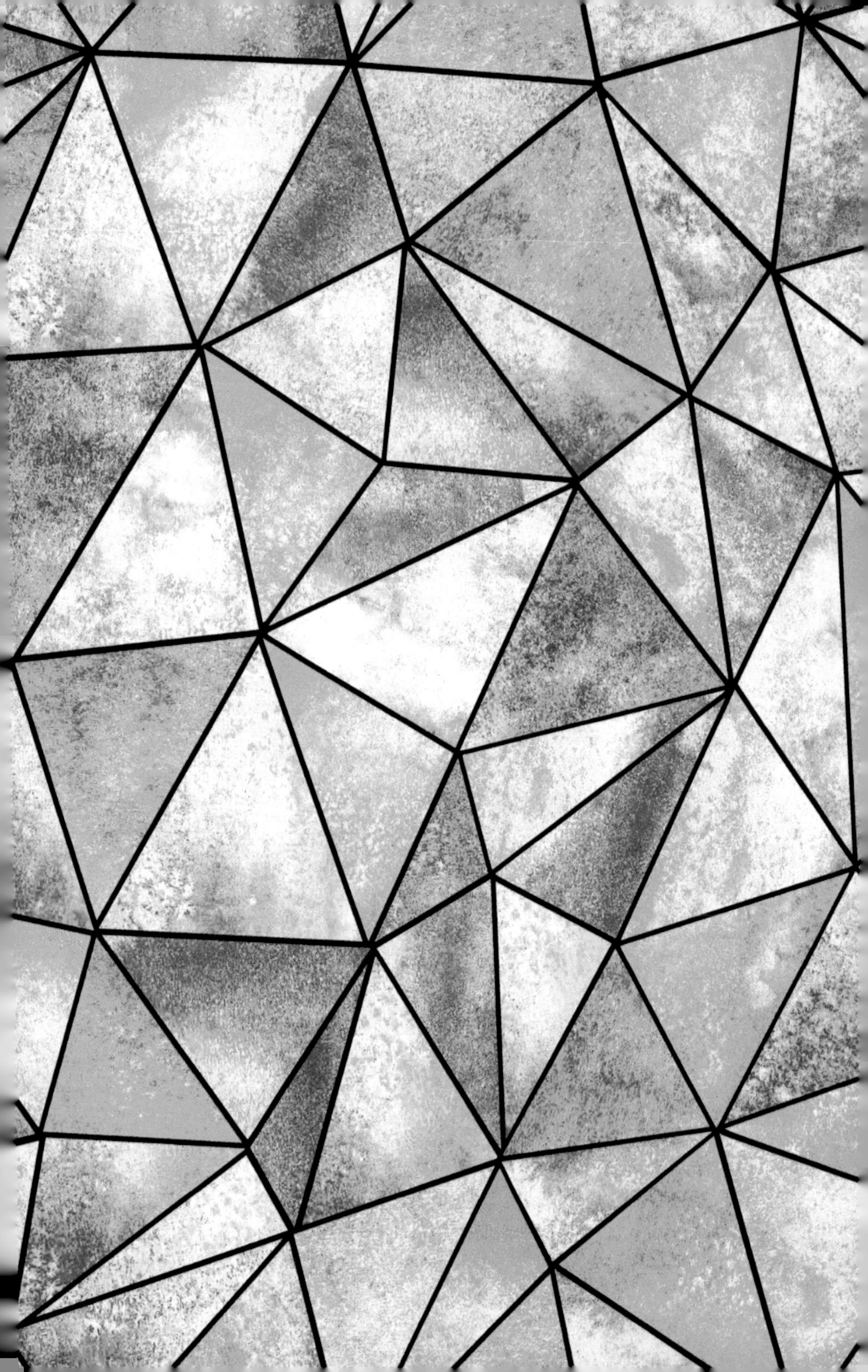

잘 사는 인생

인생이라는 단어가 생기기 전,
주어진 것에 순응하며 사는 것이 먼저입니다.
무엇을 해야 할지 고민하기보다는,
처절한 삶을 기꺼이 받아들이고 살아냅니다.
삶이 어느 정도 안정되면 주위를 돌아보고,
더 멋진 삶을 새로이 만들어 갑니다.

인생에 정답은 없지만,
먼저 간 사람들이 정답인 양
이렇게 저렇게 하라고 말합니다.

잘 살기 위해 애쓴 삶,
행복하기 위해 노력한 삶,
성공을 위해 달려온 삶.
각자의 기준으로 애쓴 과정과 결과는
정답이 되거나 누군가의 이정표가 됩니다.

이미 나와 있는 정답처럼 보이는 것들은

수많은 경우의 수일 뿐, 정답은 없습니다.
내가 선택한 결과들을
겸허히 받아들이고 만들어 가면
또 하나의 길이 생길 뿐입니다.

한 권의 자서전에 펼쳐진
삶의 뒤안길에 남은 것은 무엇일까요?
한 점 부끄럼 없는 삶이 잘 산 것일까요?
정답은 없습니다.

이번 생의 주인공은 바로 나.
내가 주인 된 삶의 여정을 엮어가는 것이
정답입니다.

인생의 답을 찾기보다는,
매 순간이 행복한 선택과
자유로운 여정이 있을 뿐입니다.

바람직한 소통

말을 잘 들어주는 것은?
소통의 시작입니다.
관계의 시작입니다.
이해의 시작입니다.

말을 잘 들어주면?
서로 공감이 시작됩니다.
서로 화해가 시작됩니다.
서로 사랑이 시작됩니다.

말을 잘 들어주었더니?
서로 상생을 이룹니다.
서로 화합을 이룹니다.
서로 평화를 이룹니다.

오늘도 상대의 말에 귀 기울여
잘 듣고 공감하며, 행복한 하루를 되어봅니다.

씨앗을 뿌려야!

"뿌린 대로 거둔다"라는 말처럼,
세상에는 불변의 진리가 있습니다.
그러나 현실에서는
적게 뿌리고 많이 얻고 싶어라 하고,
적은 노력으로 큰 성과를 이루려고 합니다.

요령의 마음으로는 가능하겠지만,
이는 다른 사람의 노력을 빼앗는 것이라
결국, 누군가는 손해를 봅니다.
농사뿐만 아니라
가족, 조직, 사회의 관계에서도
다양한 마음을 가꾸어야
열매를 맺을 수 있습니다.

어떤 사람들은 뿌린 씨앗의 결과를
자신의 이득으로 삼지만,
또 어떤 사람들은 나눔의 명목으로 베풉니다.

세상이 긍정적으로 돌아가는 이유는
나보다 관계의 소중함을 아는
사람들의 마음 덕분입니다.

마음의 씨앗을 뿌리는 이들이 많아질수록
우리 사회는 더 밝고 긍정적인 삶을
살아갈 수 있습니다.

마음공부는 나이와 상관없이
누구나 언제든지 빗장을 풀어서 기꺼이 내어놓아
함께 하는 씨앗 뿌림의 시작입니다.

오늘도 누군가 뿌려놓은 씨앗의 결실로
꿈과 희망, 사랑이 싹트는
마음 나눔을 실천해봅니다.

건강의 중요성

돈, 명예, 건강 중에서
건강이 가장 중요하다고 하지만,
아프기 전에는 종종
뒷전으로 밀리기 마련입니다.
평생 무언가에 이끌려 살다가
말년에 찾아온 질병으로
삶의 질이 크게 떨어질 수 있습니다.

지혜로운 어른들은
건강의 중요성을 깨닫고
꾸준히 신체활동을 합니다.
무엇이든 때가 지난 후에 깨닫고 행동하면
시간도, 과정도, 비용도 두 배 이상 듭니다.

백 세 시대를 살아가며,
우리는 무엇을 좇아 살아가고 있는지,
나아갈 방향성은 무엇인지 고민해야 합니다.
제2의 인생을 꿈꾸는 오늘날,

자신의 건강을 스스로 돌보는
지혜가 필요합니다.

신체적 건강은 긍정적인 에너지의 근간이며,
체세포의 활기찬 자생 작용을 바탕으로 합니다.
오늘도 자신을 사랑하는 만큼,
건강을 위한 신체활동으로
행복한 하루를 만들어 봅니다.

불필요한 걱정

지나간 날에 집착하지 말고,
다가오지 않은 미래에 이끌리지 맙시다.
현재는 과거의 결과이며,
미래는 현재 노력의 결과입니다.

과거와 미래에 집착하여
현재를 놓치지 맙시다.
지금 여기서 깨어있음을 통해
온전한 자아를 바라봅니다.

행복과 불행도
지금 이 순간 스쳐 지나가는 것이며,
집착하여 붙잡거나 휘둘릴 대상이 아닙니다.
매 순간 자각하고 알아차리며,
깨어있는 현재를 살아갑니다.

모두 갖출 수 없다

우리는 종종 모든 것을
좋고, 이쁘고, 옳고, 괜찮다는 기준에 맞추려 합니다.
하지만 자연에는 이러한 기준이 없습니다.
단지 필요에 따라 살아갈 뿐입니다.

조금 비뚤어도, 불편해도, 부족해도
잘 다듬고 맞추다 보면 자연스레 익숙해집니다.
자연의 존재들은 서로 손잡고 살아갑니다.
부족함을 채워주면서 말이죠.

완벽하게 갖추어진 것보다는
부족하지만 서로 노력하고 하나씩 맞추어 가는
과정이 더 좋습니다.

가족, 연인, 조직, 사회의 관계도 마찬가지입니다.
서로 맞추고 소통하며 함께 나아가는 것이 중요합니다.
나와 다른 관계의 다름을 인정하면
긍정적인 시너지를 만들 수 있습니다.

오늘도 미소 짓고 먼저 인사하며
좋은 관계를 이어가는 하루가 되길 바랍니다.

나와 다른 수많은 관계의 다름을 알아차리고 인정하면
긍정의 시너지를 이루어 내기도 합니다.
오늘도 미소짓는 얼굴로 먼저 손 내밀고 인사하며,
좋은 관계를 잘 이어가는 하루 되어봅니다.

자기만 아는 사람

자타 불이, 자리이타
즉 나와 다른 타인에 대한 상호 연관성을 이해합니다.
사회관계의 복수는 혼자가 아닌
보이지 않는 관계의 상호 연관성이 그 바탕입니다.

내가 곧 상대이고 상대가 곧 나이기에
남이 아닌 나의 상호작용임을 알아차립니다.
우리라는 사회관계망은 상호 의존적이고 상호 협조적이기에
서로 상생하는 구조입니다.

상대가 잘못되면 나도 영향을 미치기에

서로 잘되도록 늘 애쓰는 마음이 중요합니다.

자리이타의 마음은 전체를 보는

지혜의 크기에 따라서

그 행동의 보폭이 달라집니다.

오늘도 내 기준보다는 대상에 맞출 수 있는

큰마음 씀씀이를 여여히 펼치는 하루 되어봅니다.

급할수록 돌아가라

급할수록 돌아가라는 말을 하지만
급할수록 쉽고 빠른 요령을 찾습니다.
한두 번 해서 먹히면 그것이 옳다고 착각하고
계속 반복하는 게 인간입니다.

농부가 진득하지 못하고 게으른 요령을 부리면
수확은커녕 속 빈 호두만 잔뜩 맺히고 맙니다.
우리 건강도 젊을 때는 관리를 안 하고
나이가 들어서 질병이 오면 허겁지겁합니다.

역시 진득하기보다는 쉽게 고쳐지는 방법들에 이끌려
이것저것 접하게 됩니다.
급할수록 체할 수 있으니 급할수록 돌아가라는
지혜의 말이 담긴 뜻을 모릅니다.

마음에 조바심이 나고 진득하지 못한 것도
세포의 현재 상태의 반응입니다.
몸도 마음도 수레바퀴와 같이 잘 맞아 돌아가야만

모든 게 순조롭다고 말합니다.

어느 시점에 일이 생기면
우선 내 마음자리 먼저 살피고 나서
몸을 살펴야 합니다.

나를 파악하고 난 후, 진득한 방법을 찾아서
세월의 누적된 장벽과 맞서 싸워야 합니다.
요령의 마음이 아닌
진득하고 이치에 맞는 농부의 마음으로
일구어 나아가 봅니다.

뿌린다고 거두는 게 아니고,
뿌리고 일구는 진솔한 애씀과 지혜가 트여야 합니다.
오늘도 편법과 요령의 마음이 아닌
진솔한 마음 바탕을 가지고 땀 흘리는 하루 되어봅니다.

말 마디의 힘

펜은 칼보다 강하다고 하고,
언론은 제4의 힘이라고 합니다.
말 한마디로 천 냥 빚을 갚는다 하고,
말하기 전에 세 번 생각하라고 합니다.

그만큼 말과 글은 어떻게 쓰이느냐에 따라서
사람을 살리기도 하고 죽이기도 하는 도구입니다.
학식이 높을수록 고상한 단어로 엮어나가지만,
삶의 지혜가 깃든 이는 가장 낮은 언어의 구사를 합니다.

글쓴이와 화자의 마음가짐에 따라서
글과 말이 펼쳐지는 내용과 방향성이
사뭇 다양하게 펼쳐집니다.
한번 뱉은 말은 주워 담기 어렵지만,

여러 번 고쳐 쓰고 작성한
마음을 주고받은 손편지는
심금을 울리기도 합니다.

말과 글은 순수하고 진실하고
많은 이들을 대변하는 도구이기에
신중하고 제대로 사용돼야 하는
보이지 않는 힘이기도 합니다.

쳇 GPT가 소설도 써주고
인간을 대신하는 짜깁기 시대에
진정한 작가가 사라지기도 합니다
오늘도 매일 써 내려가는 인생 이야기에
점하나 찍으며 진실한 하루를 펼쳐가 봅니다.

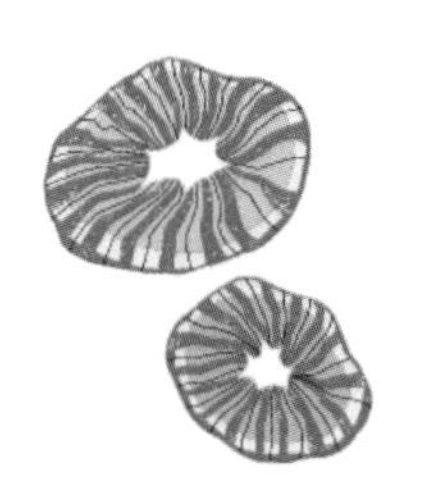

누구를 좋아하는 마음

우리는 지고지순한 사랑을 이야기하지만,
종종 바람과 집착이 뒤따릅니다.
유치원 아이가 살짝 부딪히기만 해도
젊은 부모들은 심각하게 반응합니다.

다양한 부딪힘은 건강한 성장을 위한 기본 재료입니다.
심지어 애완동물에게도 사람보다 더 집착하고,
반응이 없으면 화를 내고 실망하기도 합니다.
진정한 큰 사랑은 대상을 인정하고
묵묵히 지켜보며 기다려 주는 것입니다.
그러나 우리는 자신의 능력에 맞지 않는
사랑이라는 이름으로 미워하고 원망합니다.

대상에게 기대와 바람이 없을 때, 진정한 큰 사랑이
가능하지만, 집착적인 사랑에 빠지기 쉽습니다.
열렬히 사랑하되 집착하지 않아야 서로 상처 없이
큰 사랑을 할 수 있습니다.

기대가 클수록 원망도 커집니다.

이를 깨달으면 대상에게 바라는 마음이 사라집니다.

바람 없이 지고지순한 사랑만이 건강한 사랑이 됩니다.

오늘도 모든 대상과 사물을 있는 그대로 바라보고,

바람 없는 마음가짐으로 건강한 관계를 유지하길 바랍니다.

매 순간의 선택

지금의 나는 과거 수많은 선택의 결과입니다.
앞으로의 나는 지금의 생각과 행동에 따라 달라집니다.
매 순간 어떤 생각을 하느냐에 따라 다양한 일들이 펼쳐집니다.
사실 좋고 나쁨, 옳고 그름은 없지만,
우리의 관념이 그것들을 만듭니다.

나만을 위한 욕심인지,
함께 상생하는 선택인지에 따라 결과는 달라집니다.
매 순간 처한 환경과 조건에 따라
선택의 과정과 결과도 모두 다릅니다.

주어진 것에 최선을 다하려 하지만,
묵묵히 하는 힘이 더 중요합니다.
매 순간 깨어있어야 욕망의 선택이 아닌
평온한 선택의 결과가 나옵니다.
오늘도 주인된 삶을 위해 깨어있는
평온한 하루 되어봅니다.

더불어 상호작용

인간은 사회적 동물이라
혼자서는 살아가기 어렵습니다.
가족, 친구, 이웃과 교감하며 상호 교류를 통해
새로운 가치를 창출합니다.

우리가 매일 소통하고 함께하는 이유가
여기에 있습니다.
공생과 공존을 통해
더 나은 세상을 만들어 갑니다.

이 과정에서 진취적이고
역동적인 리더들이 앞장서고 있습니다.
그들의 한발 앞선 발자국은
새로운 길의 이정표가 됩니다.
오늘도 나누고 공감하며, 더 나은 세상을 만드는
멋진 리더가 되어봅니다.

올바른 지혜

마음이 평화롭다. 바다가 평화롭다. 세상이 평화롭다.
말은 쉽지만, 실제로는 불가능한 현실입니다.
하루에도 수백 번 들끓는 마음이 평화로울 수 없고,
지구 온난화로 변화하는 일기예보도 그렇습니다.

서로 이기려는 다툼이 계속됩니다.
하지만 대상을 어떻게 보고 이해하느냐에 따라
아무 일도 아닐 수 있습니다.
고요한 가운데 한가한 마음을 내고,
내 마음자리를 살피면 지혜가 깃듭니다.
지혜로운 눈으로 대상을 보면
아무 걸림이 없게 됩니다.

치열한 일상에서도 자아의식을 놓지 않고
매 순간 깨어있어야 분별심에 휘둘리지 않습니다.
오늘도 내 마음자리를 먼저 살피고,
올바른 지혜가 솟아나는 하루 되어봅니다.

건강과 질병의 이해

"아프다, 힘들다, 피곤하다"는 느낌의 주체는
우리 몸의 체세포입니다.
체세포는 열악한 환경에서도 끊임없이 분열하여
몸을 좋은 상태로 유지하려고 애씁니다.
하지만 체세포의 당연한 이면의 작용은 열악하기 그지없고
겨우 거북이처럼 분열하며 버팁니다.

체세포가 더 이상 견디기 어려워지면
염증이 생기고 열이 나며, 수분을 모아 붓게 됩니다.
이는 세포가 살아남기 위해 치열하게 싸우는 과정입니다.
인체의 자정 기능에 문제가 생기면 체내 산성화로 인해
독소가 쌓여 질병이 발생할 수 있습니다.

디톡스의 기본은 미생물의 활동을 활성화하고,
간의 해독과 신장의 여과 기능을 돕는 것입니다.
좋은 물, 염분, 효소, 발효, 산소,
그리고 원활한 순환이 몸을 정화합니다.

자연의 원시 식단으로 돌아가
본래의 체내 환경을 복원하는 것이 중요합니다.
잘 먹고 잘 배출하며 항상성을 유지하는 것은
동물의 본능적인 운동성을 유지하는 것입니다.

적당히 먹고, 소비하여
체내에 불필요한 것이 쌓이지 않도록
맑은 상태를 유지해야 합니다.

만고의 진리

과거에는 과정과 결과 모두 중요시했지만,
요즘은 결과 중심의 사고가 더 잦아졌습니다.
양심, 도덕, 윤리가 강조되던 시절과 달리,
오늘날에는 개인주의와 이기주의가 확산되어
나 자신을 우선시하는 경향이 많습니다.

자연의 생태계는 즉흥적이지 않고,
오랜 시간에 걸쳐 형성된 신중한 과정의 결과입니다.
그러나 인간은 점점 즉흥적이고 이기적인 방법으로
편한 삶을 선택하고 있습니다.
쉽게 얻으면 쉽게 잃게 되며, 이는 사회와 관계에
악영향을 미쳐 생태계를 교란시킵니다.

내가 얻은 이득은
누군가의 손해로 이어진다는 사실을
깨닫는 지혜가 필요합니다.
'배려'는 사회적 구조에서 형성된 개념으로,
다른 사람에 대한 마음의 작용입니다.

모든 결과는 노력과 시간이 필요하며,
성숙되고 발현되는 과정이 필수적입니다.
'고진감래'와 '대기만성'은 답답하게 들릴 수 있지만,
이는 변하지 않는 진리입니다.

오늘도 요령이 아닌 진리와 배려의 눈으로
사고하는 진정한 리더의 하루 되어봅니다.

물질과 노동과 행복

돈은 노동의 가치와 마음이 담긴,
관계와 소통의 매개체입니다.
신성한 노동이 담긴 돈의 가치를
가볍게 여겨서는 안 됩니다.

'정승같이 쓴다'는 말은
돈의 품격과 내재된 작용을 의미합니다.
돈을 잃는 것은 일부를 잃는 것이지만,
건강을 잃으면 모든 것을 잃는다고 합니다.

돈은 행복을 위한 수단일 뿐,
모든 것을 대신할 수는 없습니다.
돈의 노예가 될 것인지,
돈을 잘 관리할 것인지는 큰 차이가 있습니다.
행복은 물질이나 돈에 있는 것이 아니라,
삶의 의미에 있습니다.

일을 즐기면 돈은 자연스럽게 따라오며,

물질보다 행복이 중요한 인생이 됩니다.
일 자체를 즐기고, 일이 곧 행복이자
삶이 되는 것이 중요합니다.

행복은 욕구의 만족이나 들뜸이 아니라,
일상의 고요 적정한 평온한 상태입니다.
욕구에 이끌리는 즐거움이 아닌,
양극단에 휘둘리지 않는 성숙한 행복을 추구합니다.

순간에 깨어있기

어제가 오늘이고, 오늘이 내일입니다.
시간이 사라지면 한순간 찰나이기도 합니다.
조금 전은 과거이고, 지금은 현재이지만,
10초 후의 현재와 미래는 이미 지나간 과거가 됩니다.

시공간은 다른 듯하지만, 우리가 의식하지 못하는 순간에
서로 연관되어 있다는 사실을 놓치기 쉽습니다.
지나온 과거에 얽매이지 말고, 오지 않은 미래에 끌리지 말고,
지금 이 순간에 깨어있어야 합니다.

지금 이 순간에 깨어있지 않으면
과거도 현재도 미래도 모두 순식간에 사라져버립니다.
오늘도 순간들이 모여 하루가 되듯이, 의식적으로 깨어있어
이끌림 없는 주인 된 하루 되어봅니다.

자연 회복력

모든 생명체는 적절한 조건만 갖춰지면
놀라운 자생력을 발휘합니다.
우리 몸을 구성하는 체세포의 작용을 이해하고
적절한 환경적 조건을 제공하면 몸은 재생됩니다.
이 환경적 조건은 자정 능력과 순환 구조의 한계를
관리하고 유지하는 것입니다.

매일 소모되고 발산하며 산화되고 노화되는 문제를
해결하는 방법이 바로 해독입니다.
매일 발생하는 노폐물을 해독하여 정화하는 것이
건강을 유지하는 비결입니다.

질병, 노화, 항상성, 면역력, 젊음의 핵심은
디톡스(Detox)입니다.
몸과 마음을 맑고 깨끗하게 유지하는 비결은
적게 먹고, 꾸준히 운동하고, 해독을 게을리하지 않는 것입니다.
오늘도 잘 먹고, 잘 배출하고, 잘 자는 거북이 같은
느림의 철학을 배우는 하루 되어봅니다.

실수에 대한 이해

실수는 자연스러운 현상이며,
오히려 실수가 없는 것이 이상합니다.
실수를 통해 문제를 인식하고,
이를 바로잡을 수 있습니다.

실수는 깨달음을 얻는 과정이며,
이를 통해 성숙한 자아가 형성됩니다.
실수는 창피한 것이 아니라,
알아가는 과정입니다.
실수는 그저 삶의 일부일 뿐이며,
특별히 문제시할 필요가 없습니다.

우리가 어른이 되는 과정은 실수투성이였고,
여전히 어른들도 실수를 통해 배우고 있습니다.
오늘도 소소한 실수를 기꺼이 맞이하고,
이를 경험적 스승으로 승화시키는
여여한 하루 되어봅니다.

건강한 자아

열등생 백 명 중에서도
일등과 꼴찌로 나뉘고 줄이 세워집니다.
학교에서 경쟁하는 연습을 한 우리는 본능적으로
비교하는 습관이 있습니다.

나보다 잘나고 예쁘고 능력 있는 사람들을 보며
스스로 열등감에 빠집니다.
사람들은 겉모습과 능력에 따라 판단하는
오류를 범하며 살아갑니다.
나이, 학벌, 권력, 명예는 잠시 빌려 쓰는 도구일 뿐,
내 본질은 아닙니다.

사람은 있는 그대로 존중받아야 하며,
비교하여 인격을 낮출 필요는 없습니다.
상대를 있는 그대로 보고,
나 자신도 있는 그대로 인정하고
당당해야 열등의식이 없어집니다.
열등의식은 본래 자아의식의 결여에서 형성된 것입니다.

건강한 자아는 어떠한 상황에서도
아무렇지 않은 맑고 밝은 영혼을 가집니다.
다양한 관계 속에서 두루 어울릴 수 있는
좋은 사회성은 넓은 포용력에서 나옵니다.
자존감을 유지하면서 상대를 있는 그대로 보고 인정하는
건강한 관계를 만들어 갑니다.

놓치고 사는 것

우리는 매일 앞만 보고 어딘가를 향해 달려가지만,
많은 것을 놓치고 있다는 사실을 모릅니다.
어느 날 갑자기 차에서 내려보니,
민들레꽃이 보이고 풀냄새가 코로 들어옵니다.

빠르게 달리다 보면 지나치고 잊히는 것들이
멈춰야 비로소 보입니다.
속도가 조금 빠르고 느릴 뿐입니다.
조금 더디고 앞설 뿐입니다.
가끔 차에서 내려 바쁘게 가기보다는,
주변을 살피며 천천히 걸어봅니다.

평소에 늘 지나던 길에서도 놓치고 스쳐 간
많은 것들이 보이기 시작합니다.
세월의 다툼 속에서 달려온 과속을 잠시 멈추어 보니,
세월의 뒤안길이 보입니다.

행복은 매 순간 놓쳤던 것에 있었다는 사실을 알게 되지만,

이미 버스는 종점에 가까워지고 있습니다.

오늘도 멀리 있는 행복을 좇기보다는,

매 순간 내 앞에 펼쳐진 소소한 일상을 만끽하는

행복한 하루 되어봅니다.

그땐 어쩔 수 없었다

어렸을 때 아버지와 어머니를 원망했습니다.
과거의 낡은 비디오테이프를 아직도 돌려보는 중입니다.
동물도 인간도 자식을 사랑하지 않는 부모는 없습니다.
그 시절 삶과 환경이 그랬을 뿐,
표현 방식이 달랐을 뿐입니다.
그 시절 힘겨웠던 애증이 못처럼 박혀
나를 묶어놓고 있습니다.

부모가 된 지금 내 모습은 어떠한가요?
어쩔 수 없다는 말보다는
기꺼이 가족과 소통하고 이해를 구하지만 쉽지 않습니다.
그땐 그랬었고, 지금은 이렇습니다.
풀리지 않는 수수께끼는 없습니다.

내 마음의 아집을 내려놓으면
봄 눈 녹듯이 사라집니다.
그 아집의 자물쇠를 푸는 키는
상대가 틀리고 내가 옳다는 관념에서 벗어나
상대의 다름을 인정하는 것입니다.
부모와 자식은 형성되었을 뿐,
누구의 잘잘못을 따질 수 없는 관계입니다.
내 안에 부모의 습관이 묻어있지 않는지
살피는 하루 되어봅니다.

실패는 성공을 위한 발판

세상이 내 뜻대로 되어야 만족하고,
성공했다고 생각합니다.
본래 자연의 섭리를 따르는 것이 진리지만,
이를 거슬러 이기고자 합니다.
내가 원하는 바가 이루어지지 않으면
실패하고 낙담하게 됩니다.
도전을 강조하고 실패를 딛고 일어서서
끝내 이루어지면 성공이라 합니다.

인고와 감내는 자아를 성장시키지만,
놓친 것들에 대한 보상은 없습니다.
경제적 성장을 강조한 성공과 내면의 가치를
바탕에 둔 결과는 크게 다릅니다.

누구나 삶의 달란트를 가지고 있으니,
과정에서 얻은 소중한 깨달음을 헤아려 봅니다.
실패는 성공을 위한 자양분이고 발판을 만드는 토대일 뿐,
좌절이 아닙니다.

지나고 나니, 이루고 나니, 아무것도 아님을
깨닫는 성숙한 성자가 되는 길입니다.
성공과 실패에 연연하기보다는
삶의 가치를 발견하고 일구는 하루 되어봅니다.

좋은 대화를 하려면

대화의 시작은 상대의 말을
잘 듣는 것에서 시작됩니다.
대화 중에 내 말만 고집하면
상대방의 말을 들을 수 없습니다.
소통의 기본은 대화입니다.
하지만 우리는 대화를 잘하지 못합니다.

대화하는 법을 배우지 못해 자신의 말이
옳다고만 주장하려 합니다.
그 결과, 대화는 결렬되고 상대를 험담하며,
자신의 고집을 굽히지 않습니다.

우리는 대화를 수다나 말싸움의 도구로만 생각하고
제대로 대화하는 방법을 모릅니다.
대화는 듣기, 경청, 공감, 이해, 표현의 과정입니다.
모든 대화의 시작은 경청입니다.

내 주장보다 상대의 입장을 먼저 이해하려고 노력해야 합니다.

그런 다음 감정을 섞지 않고, 천천히 내 생각을 표현합니다.
좋은 대화는 상대의 상황을 이해하고 배려하는
공감된 의사소통입니다.
오늘도 다양한 관계 속에서 멋진 소통을 위해
한 박자 기다려 주는 마음을 내어봅니다.

나를 사랑하는 마음

타인을 대할 때, 내 마음의 본능적 작용을
잘 살펴보아야 합니다.
우리는 선입견과 경계심으로 상대를
쉽게 판단하게 됩니다.
상대방도 나를 잘 모르고 몇 마디 말로 판단합니다.

우리는 상대의 깊은 내면을 알지 못한 채,
먼저 고정된 생각을 가지기 쉽습니다.
이는 내가 옳다는 자기 기준과 아집 때문에
수많은 오해와 갈등을 유발합니다.
자연의 다양성을 받아들이지 못하고,
인간의 획일적인 이기심으로
나와 남을 분리하는 것은 큰 실수입니다.

나와 다른 대상을 열린 마음으로
이해하고 공감하며 경청하면,
상대의 다양한 마음을 엿볼 수 있습니다.
나를 사랑하는 마음의 크기는

내 주변 사회적 관계의 크기와 비례합니다.
상호 유기적 관계를 통해 남이 곧 나임을 깨닫고,
상대가 잘 될 때 서로가 잘 되는 법을 터득해야 합니다.

주변과 이웃을 사랑하고 공감하는 사람이
인류애를 가진 사람입니다.
나를 사랑하는 만큼 남을 사랑하고,
남을 사랑하는 만큼 나를 사랑하게 됩니다.
오늘도 이웃과 주변에 좋은 마음의 씨앗을 뿌리고,
인간성을 가꾸는 하루 되어봅니다.

실패는 성공의 어머니

성공과 실패는 그것을 바라보는 기준에 따라
그 가치가 달라집니다.
예를 들어, 푸틴은 자신의 기준에 따라
불의를 정의로 합리화합니다.
그 조직에서는 꼭두각시처럼 행동해야만
인정받고 성공할 수 있습니다.
물질을 어떻게 바라보고 다루느냐에 따라
그 가치도 달라집니다.

성공한 리더와 지도자는 물질적 성과뿐만 아니라
내면의 성숙함도 함께 드러냅니다.
내공은 나이테처럼 오랜 연륜의 누적이자
흔들리지 않는 자기 철학입니다.
모든 것은 정해진 바 없이 이차적으로 형성되는
카르마에 지배받습니다.

컴퓨터, 자동차, 인체, 사회 모두가
잘 돌아가기를 바라지만,

바이러스는 항상 존재합니다.
오작동의 이유를 모를 때는
최신 백신을 사용해서라도 문제를 해결해야 합니다.

육체의 설계도 중요하지만,
영혼의 소프트웨어를 더욱 업그레이드해야 합니다.
내가 옳다는 생각을 내려놓고,
상대가 틀린 것이 아니라 나와 다름을 인정해야 합니다.
함께하는 모든 이는 나의 스승임을 알고
소중히 여기며 감사한 마음을 가집니다.
건강한 조직과 사회는 늘 살피고 바로잡아
모두가 행복해지는 길로 나아가야 합니다.

오늘도 함께 할 수 있어서 감사한 마음입니다.
덕분입니다. 고맙습니다. 사랑합니다.

행복한 미소

항상 웃을 수 있어야 합니다.
웃음은 내면이 비워지고 마음이 가벼운 상태를 의미합니다.
웃음은 전염성이 있어 주변 사람들에게도 퍼집니다.
내 삶이 건조한지, 가벼운지 살펴봅니다.
행복은 가벼운 마음과 일상의 경계가 없는
자유로운 상태에서 옵니다.

비교하거나 잘하려고 애쓰고, 원망하고 실망하는 대신
대상을 있는 그대로 바라봅니다.
불필요한 관념을 내려놓고 주변을 바라보면
자연스레 흐뭇한 미소가 지어집니다.
그 미소로 좋은 에너지를 나누어
세상에 도움이 되는 사람이 되어봅니다.

어느 순간, 자유롭고 행복한 미소를 지으며
이웃과 함께하는 자신을 발견하게 될 것입니다.
오늘도 밝은 웃음과 에너지로 주변과 이웃에게 잘 쓰이는
행복한 사람이 되어봅니다.

행복은 마음먹기 나름

행복과 불행은 손바닥을 뒤집는 것처럼
양면을 가지고 있습니다.
이 두 감정은 다른 듯하지만 동시에 존재합니다.
행복과 불행은 주사위의 확률 게임이 아닙니다.
내 마음가짐에 따라 달라집니다.
행복과 불행은 내가 선택할 수 있으며,
지속할 수 있도록 할 수 있습니다.

행복하기 위한 모든 과정은 행복을 채우는 요소들입니다.
행복은 멀리 있는 것이 아니라 이미 내 안에 있습니다.
밖에서 행복을 찾으려는 보물찾기는 인제 그만둡시다.

지금부터 불행은 손바닥을 뒤집는 순간 행복으로 변합니다.
행복과 불행은 모두 내 마음먹기에 달려 있음을 압니다.
오늘도 일상에서 행복한 뒤집기 놀이를 즐겁게 해봅니다.

주고받는 관계

우리 모든 관계의 기본은 핑퐁처럼 주고받는 것입니다.
주고받는 속에서 관계가 돈독해집니다.
정도 주고, 마음 주고, 사랑을 주는 신뢰의 관계는
때로 무한한 희생을 의미하기도 합니다.

하지만 진정한 큰 사랑은 적절한 때에
선을 그을 줄 알아야 합니다.
동물의 세계에서도 맹금류가 새끼를 둥지 밖으로 밀어내듯,
큰마음으로 상대를 바라보아야 합니다.

가끔은 주위의 고통받는 이들의 환경을 이해하고
돕는 마음을 가지면 내 마음이 평온해집니다.
상대를 통해 내가 치유되고 가벼워지며,
건강하고 자유로워짐을 느끼게 됩니다.

내 일상의 모든 주변과 대상은
내 마음을 어루만지고 비춰주는 거울과 같습니다.
거울에 비친 내 모습이 자유롭고 행복한 얼굴로
가벼워져 있는지 살펴봅니다.
오늘도 주변과 이웃과 함께 나누고 베푸는
자리이타의 마음으로 함께 나아가는 하루 되어봅니다.

체액과 세포의 순환

동물의 본능은 꾸준한 움직임입니다.
멈추면 생리 작용에 치명적입니다.
밤새 안녕하다는 말이 남의 얘기인 듯하나
그만큼 정체된 것의 반응일 뿐입니다.

아침에 일어나면 스트레칭으로 세포를 깨워줍니다.
낮에는 책상에 오래 앉거나 서서 일할 때,
눌림과 압박을 풀어주어야 합니다.
저녁에는 누적된 근육의 피로와 산성화된 혈액을
개선해 주는 것이 좋습니다.
밤에는 과부하 없이 편안한 상태에서 숙면을 취합니다.
문명의 발달로 인해 오래 앉고 서서 일하는 습관이
몸을 경직시키고 정체시킵니다.

모든 병의 시작은
자연에 어긋난 반복된 행동에서 비롯됩니다.
운동, 건강식품, 대체요법만으로는 충분하지 않습니다.
특히, 복부와 허리의 긴장은 뇌압 상승을 초래합니다.

직업적 자세를 풀어주고, 적당히 먹고 숙면하여
원활한 순환 구조를 만듭시다.
과식과 과로, 게으름은 건강에 치명적입니다.
운동하고, 스트레칭으로 이완시키며,
적당히 먹고 비워내야 합니다.

생명의 근원은 맑은 혈액과 원활한 순환이 유지될 때,
건강한 세포가 재생됩니다.
몸과 마음을 수시로 이완하고
긴장되지 않는 생활 방식을 만드는
하루 되어 봅니다.

나를 먼저 사랑하기

사랑은 모든 것 감싸주고
바라고 믿고 참아내며
사랑은 영원토록 변함없네.

온전한 사랑은 상대를 큰마음으로 보듬는 것입니다.
이는 내가 먼저 나를 사랑할 때 비로소 가능합니다.
상대를 사랑하기 전에 먼저 내 마음을 살펴
모든 것을 기꺼이 감내할 수 있는지 확인해야 합니다.

사랑은 단순히 이끌리는 마음이 아니라
상대를 기꺼이 받아들이고
온전히 나눌 수 있는 바탕입니다.
겉으로 드러나는 사랑보다는
내 안의 진실한 신뢰 형성이 진정한 사랑의 시작입니다.
진실한 사랑을 해보면 나를 사랑하는 마음이
중요하다는 것을 알게 됩니다.
오늘도 나를 살피고 토닥여 주며,
평온함과 자기애가 가득한 하루 되어봅니다.

관계의 생태계

인간은 사회적 동물로,
상호 보완적인 관계를 유지하며 생활합니다.
자연은 먹이사슬처럼 유기적인 관계 속에서 질서를 유지합니다.
우리 몸도 작은 숲의 생태계처럼 완벽한 자율조절 시스템을
갖추고 있습니다.

이런 구조적 관계에서 벗어나
혼자 고집하며 살아갈 수 없습니다.
현명한 사람은 사회적 관계를 잘 풀어내고
화합하는 사람입니다.

현명한 의사는 몸을 기계로 보지 않고
생명의 관계를 잘 이해하는 사람입니다.
사람의 세포조차도 유기적인 관계를 잘 풀어내야
생명의 사슬이 이어집니다.

모든 살아있는 존재는 처한 환경에서
살아남는 방법을 터득해야 합니다.

우리는 대인 관계의 중요성을 알기에
사람을 위해 애쓰고 노력합니다.

좋고 나쁜 관계가 아니라 서로 상생하고
더불어 살기 위해 꼭 필요한 관계입니다.
사람과의 관계는 우리를 살아가게 하고
미래를 향해 나아가는 원동력입니다.
문자, 카톡, 전화 한번 먼저 보내며
관계의 생태계를 버무리는 하루 되어 봅니다.

나만의 이미지 메이킹

가만히 있어도 가까이하고 싶고,
가까이 있어도 멀게 느껴지는 사람이 있습니다.
물과 기름처럼 섞이지 않는 사람도 있지만,
어떤 사람과는 쉽게 융화되어 마치 오랜 친구처럼
느껴지는 사람도 있습니다.

나는 어떤 사람일까요?
나는 어떤 성향일까요?
나의 퍼스널 컬러는 무엇일까요?

오랜 시간 형성된 나의 모습이
본래와 다른 모습으로 보일 수도 있습니다.
사상체질, MBTI, 퍼스널 컬러 등
동질성이 많은 성향끼리 어울릴 때가 많습니다.
하지만 진정한 끌림과 사랑은 말로 설명되지 않는
심상에서 비롯됩니다.

내면의 감성, 고유의 심성, 순수와 진실한 모습은

모두를 포용하고도 남습니다.
요즘은 내적 성숙보다는
외적 화려함을 가꾸는 경향이 있지만,
진실보다는 허울에 이끌리는 경우가 많습니다.
격식보다 꾸밈없는 자연스러움, 가식 없는
진실한 마음, 순수함이 더욱 끌립니다.

내 마음이 드러나고, 내면의 성향이 비치는 얼굴은
거울과 같습니다.
멋지게 드리워지는 나만의 이미지를
명함 같은 얼굴에 만들어 봅니다.

노동과 놀이의 차이

애씀은 즐기는 것만 못합니다.
우리는 일과 공부를 하기 싫어하면서도
억지로 애를 쓰고 삽니다.
끊임없이 경쟁하며 최선을 다하지만,
그 과정에서 자신을 잃어버리곤 합니다.
최고를 목표로 하다가 실패하면 큰 상실감을 느끼죠.

평생 나를 위해 산다고 하지만,
실은 주변을 의식하며 살아갑니다.
월급을 받고 일하면 노동이지만,
내 돈을 내고 일하면 놀이가 됩니다.

자발적으로 하는 것과 억지로 하는 것의 차이는 큽니다.
즐기며 살면 능동적이고 주체적인 삶을 살 수 있고,
억지로 하다 보면 수동적이고 종속된 삶이 됩니다.
내 삶이 수동적인 노동으로 전락하지 않도록,
매 순간 깨어있어 자발적으로 선택하고 주체적으로
살아가야 합니다.

어차피 해야 한다면 기분 좋게 놀이처럼 여기며 하면,
그 결과는 예상보다 좋을 수 있습니다.
'일체유심조'라는 말처럼, 일과 놀이, 행복과 불행도
모두 내 마음에서 비롯됩니다.

돈과 노동의 가치관

돈은 노동력의 가치를 화폐로 환산한 것입니다.
우리는 노동력에 비해 결과가 없으면 생산성이
떨어진다고 생각합니다.
그러나 어떤 결과가 나오기까지는
시간과 과정을 거쳐야 합니다.

물질과 마음의 바탕이 버무려지고 뜸이 들어야
비로소 그 가치가 환산됩니다.
돈에 이끌려 살지, 삶을 경영하는 사람이 될지는
스스로 선택하고 만들어 갑니다.

지금 내가 돈의 노예로 살고 있는지,
주인으로 살고 있는지 가만히 돌아봅니다.
오늘도 경쟁적인 물질 추구 대신, 마음을 경영하는
멋진 하루 되어봅니다.

실패한 만큼만 성공

젊은 시절은 미지의 세계를 탐구하고
부딪힘을 통해 알아가는 시기입니다.
낯선 부딪힘이 싫어서 회피하기도 하지만,
지나고 나면 아무 일도 아니었음을 알게 됩니다.

내가 원하지 않는 일도 기꺼이 하다 보면,
시간이 지나 그 경험이 성장의 발판이자 원동력이
되었음을 깨닫게 됩니다.
기꺼이 받아들이고 순응하면 성공과 실패를 떠나
모든 것이 내 삶의 일부가 됩니다.
성공과 실패는 한 끗 차이일 수 있으며,
실패를 겪을수록 성공 확률도 높아집니다.

우리는 각자의 자리에서 최선을 다하는 중입니다.
지금 자유롭고 행복하다면 이미 성공한 삶을
살고 있는 것입니다.
오늘도 어제보다 나은 삶을 추구하기보다,
지금 이 순간 행복한 하루 되어봅니다.

나를 사랑하는 마음

자신감은 다른 사람의 존중을 의미하고,
자존감은 자기 자신에 대한 존중을 의미합니다.
자기애는 과도한 자기 사랑으로 자기 욕망에
치우칠 수 있습니다.

남을 돕고 사랑하기 위해서는
먼저 자신을 존중하고 사랑해야 합니다.
사랑은 일방적인 것이 아니라, 서로 좋아하고
소중히 여기는 마음에서 비롯됩니다.

이 사랑은 자기애를 바탕으로 시작되어
상대와의 교감으로 이어집니다.
나를 사랑하는 마음이 커지면, 상대를 사랑하고
배려하는 마음도 커집니다.
자리이타처럼, 상대를 위하는 것이
곧 나를 위하는 큰 사랑으로 발전합니다.

궁극의 사랑은 너와 내가 하나 되어
아우르는 힘을 가집니다.
오늘도 가족, 지인, 친구를 온전히 사랑하고
소중히 여기는 하루 되어봅니다.

인간의 상생 법칙

자연은 다양성의 집합체이자 어우러짐의 종결판입니다.
우리 삶도 다양한 관계가 얽힌 먹이사슬과 같습니다.
수많은 포식자가 존재하고, 생태계를 유지하기 위해
애씀이 존재합니다.

자연의 법칙과 인간의 법칙은 비슷하지만 다릅니다.
다양한 개체들을 어떤 시선으로 대하는 게 현명한 것일까요?
완고한 기준과 아집으로는 모두 잘못된 것으로 보일 뿐입니다.

싫어하는 상대의 눈에도
나를 이상하게 보기도 하는 게 정상입니다.
대상과 관계를 있는 그대로 보고 이해를 해보면,
이는 늘 있는 일입니다.

내 기준에 맞추기보다는 대상에 맞추는 연습을 합니다.
적응적 진화는 대상과의 상호 공진화를 통해
상생하는 법칙입니다.
내 생각을 하나 바꾸니 모든 것이 감사하고

행복한 일상이 됩니다.

오늘도 내 주변과 이웃에 맞추어 자리이타의 마음으로

주인 된 삶을 만들어 가봅니다.

말을 표현하는 연습

우리는 말을 여러 용도로 사용합니다.
대화, 토론, 소통, 지시, 훈계, 상담 등.
이 대화의 분위기는 모두 다릅니다.
말 한마디로 천 냥 빚을 갚을 수도 있지만,
모든 것을 망칠 수도 있습니다.

말은 내 마음과 생각을 전달하고 표현하는 수단입니다.
그러나 말이 오해되고 와전되어 상대와 불통이 되기도 합니다.
"너는", "당신은" 대신 "나는", "제가", "내 생각은"이라는
표현으로 순화하는 연습이 필요합니다.

매 순간 대상 탓하지 않도록 깨어 있으면 모든 것이
나로부터 비롯됨을 깨닫고 평온함을 유지할 수 있습니다.
오늘도 상대의 말을 경청하고, 이해하며, 받아주고,
이쁜 언어로 순화해봅니다.

공부하는 마음가짐

공부하려고 마음을 먹었습니다.
공부하려는 의지와 결단이 필요합니다.
멘토가 안내하면 기꺼이 "예" 하는 마음을 냅니다.
그 마음이 서지 않았다면 아직 공부할 준비가 부족하거나
익숙함에 빠져 나태할 때입니다.

지속 가능한 것은 없지만,
지속 가능한 흐름을 만들기 위해서는 매 순간
깨어 있어야 합니다. 연속성을 유지해야 합니다.

단순히 필요한 것만 보고 듣는 공부는 지식에 불과합니다.
옳고 그름을 따지는 이분법적 공부는 진정한 공부가 아닙니다.
진정한 공부는 머리로만 하는 것이 아니라,
체득을 통해 깨우치는 과정입니다.

진짜 공부는 시간이 날 때만 하는 것이 아니라,
어떤 경우에도 꼭 하려는 마음이 있어야 무르익습니다.
참된 공부는 혹독한 선생과 꾸준한 연습을 통해 이루어집니다.
자기 합리화는 잠시 접어두고, 멘토의 가이드에 기꺼이
"예"라고 응답할 때 진리탐구에 한 걸음 다가서게 됩니다.
공부하기 전에 내 마음가짐이 어떠한지 살피는
깨어있는 하루 되어봅니다.

리듬과 페이스

속도와 방향은 나아감에 있어서 중요한 요소입니다.
둘 중 하나라도 놓치면 안정적인 페이스를 잃게 됩니다.
일정한 흐름 속에서 패턴을 찾고 리듬을 타는 것도 필요합니다.

비교하고 경쟁하는 것도 좋지만,
먼저 내 페이스를 찾는 것이 중요합니다.
그래야 삶과 건강이 오래 지속되어 안녕과 행복을
누릴 수 있습니다.

애씀은 즐기는 것만 못하듯, 지금을 잘 살피고 즐기며
나아가는 지혜가 필요합니다.
내게 주어진 조건을 살피고 그에 합당한 만큼 순응하며
수순하는 하루 되어봅니다.

풍기는 향기

살아있는 모든 개체에는 그만의 냄새와 향이 있습니다.
이 향은 자신을 돋보이게 하고 유인하거나
자극을 주기도 합니다.

자연의 숲에서도 다양한 냄새가 어우러지며 자연 정화됩니다.
동물이나 사람에게도 독특한 냄새가 있습니다.
생명 활동 과정에서 발생한 기체나 노폐물로 인해
몸에 밴 냄새입니다.

엄마 아빠 냄새, 애완견 냄새, 식물 냄새, 집안 냄새,
차 냄새 등 각자의 독특한 냄새가 있습니다.
사람의 인품과 품격에서 느껴지는 아우라처럼
자연스레 풍기는 향도 있습니다.

오늘 나는 어떤 냄새를 주변에 풍기며
어우러지는 사람이 될지 자각하는 하루 되어봅니다.

다름을 이해하면 풀린다

다른 생각, 대화, 이해, 공감, 오해, 부딪힘,
소통, 관계의 해석 등은 모두 서로 다른 상황과
처지에 따라 다르게 반영됩니다.
서로 다른 것을 두고 아무리 얘기해도
풀리지 않고 꼬이기도 합니다.

좋은 관계를 위해서는 내 생각을 접고 상대방을
이해하려는 마음이 필요합니다.
서로 대화가 되지 않거나 관계가 틀어지면
관계 회복이 어렵기도 합니다.

해법은 간단합니다.
상대의 생각이 틀린 것이 아니라 서로 다름을
인정하는 것입니다.
하지만 다름을 계속 인정하기보다는 같은 방향성으로
비슷한 사고를 하는 것이 바람직합니다.

문제는 자연스럽게 발생하며, 이를 끊임없이
조율하는 과정이 관계 성립의 조건입니다.

실타래가 꼬일 때는 한발 물러서서 힘을 빼고
살살 풀어내야 감정의 골이 깊어지지 않습니다.
생각과 감정의 그물은 쉽게 꼬이기도 하지만,
서로 다름을 이해하면 쉽게 풀리기도 합니다.

Part 3

인생의 미로

인생의 고비

자연에는 수많은 굴곡이 있습니다.
대서사시는 수많은 난관을 극복한 결과입니다.
우리의 삶도 마찬가지로,
수많은 고통과 선택을 딛고 이겨낸
이야기가 담겨 있습니다.

주어진 상황을 받아들이고 지나고 나면,
내적 성숙이 자연스럽게 따라옵니다.
자연이 아름답게 보이는 이유는
보이지 않는 수많은 애환을 받아들이고
감내한 결과이기 때문입니다.

끊임없이 도전하는 사람은
묵묵히 또 다른 이야기를 만들어 갑니다.
그냥 일상일 뿐입니다.

인생의 고비는 자연스러운 현상입니다.
누군가는 고통스럽게 느껴질 수도 있지만,

받아들인다면 그리 특별한 일이 아닙니다.

오늘도 일상 속에서 분별심 없이
주어진 것에 감사하고,
대상을 있는 그대로 바라보며
수순하는 하루를 보냅니다.

자연의 양면성

자연의 생명은 잃고 얻음의 반복이며
본래의 숙명입니다.
사실은 우리 눈에 그렇게 보일 뿐,
고귀한 희생과 위대한 생명의 탄생이 있을 뿐입니다.

약육강식의 종족 번식은
하나가 살기 위해 하나가 희생되는
먹이사슬 구조입니다.
이것이 자연의 섭리입니다.

부처님은 이러한 구조 속에서
모두가 잘 사는 방법으로 중도를 설하셨습니다.
이는 양극단에 치우치지 않고
모두가 상생하는 길입니다.

자연과 인간의 삶은 반드시 원인과 결과가 있으며,
주어진 환경에 적응하지 못하는 개체는 사라집니다.
우리는 다양한 영향과 환경에 따라

조건 지어진 관계 속에 있지만,
거대한 생명의 작용이 있을 뿐입니다.
작은 사이클의 반복이 이를 나타냅니다.

나고 죽음, 밝음과 어둠, 행복과 불행,
음과 양의 작은 윤회가 지구와 생명의 근원입니다.
공생과 평화, 행복의 이면에는 작은 희생이 있으며,
때로는 반대의 상황이 도래할 뿐,
이는 이상한 일이 아닙니다.

죽음과 희생의 의미는 그 이유에 따라 달라집니다.
죽이기 위해 죽였는지, 살기 위해 희생시켰는지,
살리기 위해 죽일 수밖에 없었는지에 따라 의미가 다릅니다.
매 순간 크고 작은 사이클이 반복되며,
시작과 끝이 교묘히 이어지는 섭리입니다.
오늘도 매 순간 깨어있어
관념과 집착의 양극단에 이끌리지 않는
행복한 하루 되어봅니다.

좌절과 도전

우리는 각자 하고 싶은 것만 선택하며 살아가지만,
때로는 하기 싫은 일도 기꺼이 해야 할 때가 많습니다.

다윈의 자연선택설에 따르면,
환경에 적응한 생명체가 살아남고,
그렇지 못한 것은 도태됩니다.

하루살이는 종족 번식을 위해 하루를 보내며 사라져도
불평하지 않습니다.
우리는 필요한 것들만 골라서 하면서도,
원하는 것을 선택하고도
불행해 하고 더 큰 욕심을 따릅니다.

자연의 생명체는 주어진 조건에 순응하며 원망이 없습니다.
우리도 여러 번 시도해서 안 되면 다시 도전하면 됩니다.
한 번 해보지도 않고 좌절하지 말아야 합니다.
자연과 인생에서 쉽게 얻어지는 것은 없습니다.
수많은 부딪힘과 깨달음의 반복일 뿐입니다.

오늘의 부딪힘은 건강한 나를 만들기 위한 과정의 하나입니다.
작은 점들이 모여 선을 이루듯, 인생도 그렇게 펼쳐집니다.
욕심을 버리고 순응하며 애쓰는 것이 중요합니다.
오늘도 소소한 도전으로 멋진 하루 되어봅니다.

자아 의지의 일깨움

살아있는 모든 생명체는 주어진 환경에서
살아남는 방법을 터득한 존재들입니다.
자연과 인간의 면역력은 각자의 환경에 적응하여
최적의 상태를 유지하고, 이를 통해 어려움을 극복해 나갑니다.

따라서 성공의 의미와 가치는 각자 다르며,
스스로 만들어 가야 합니다.
길가에 굴러다니던 돌이 예술적인 수석으로 변하고,
집에 있던 평범한 꽃병이
값비싼 도자기로 밝혀지는 것처럼 말입니다.

누구나 타고난 재능이 있지만,
그것을 발현하지 않으면 잠재력은 그대로 남아있습니다.
스스로 노력하여 그 재능을 빛나게 하거나,
이미 가진 것을 세상에 드러내기도 합니다.
수많은 정보와 기회가 있지만,
이를 알아채지 못하면 놓치고 흘리게 됩니다.

자신을 잘 안다고 생각하지만, 습관적 관념에 이끌려
실제로는 자신을 잘 모르는 경우가 많습니다.
내 안의 꿈, 열정, 도전, 희망들은
원동력에 의해 가동되고 현실로 표출됩니다.
마음의 경계를 넘고 잠재력을 발견하는 것도
모두 자아 의지의 표현입니다.

오늘도 매 순간 마음의 주인으로서 자아를 일깨우고,
자신의 잠재력을 펼치는 하루 되어봅니다.

역경은 극복의 대상일 뿐

역경은 일이 순조롭지 않아
어려움을 겪는 상황을 의미합니다.
역경을 잘 극복하고 평온한 일상을 맞이하면
순조로운 시절이 찾아옵니다.

보왕삼매론에서는 일이 쉽게 되기를 바라지 말라고 합니다.
그렇게 되면 경솔하게 행동하게 되기 때문입니다.
보이지 않는 반대의 힘은 항상 존재하며,
지금 당장은 드러나지 않을 뿐입니다.

일을 추진하는 사람의 어리석은 마음이
현실에서 잘못 작용하여 역경이 드러나게 합니다.
역경은 내 마음의 작용 때문에 형성되고
나타나는 것이므로 잘 살펴야 합니다.

역경은 두려워할 대상이 아니라 극복할 대상일 뿐입니다.
지나고 나면 밝은 현실이 나타납니다.
지금의 불행, 불만, 화, 답답함은 대상이 준 것 같지만,

사실 내 선택과 마음의 반영입니다.
많은 역경을 겪는 사람의 마음은
이미 많은 욕망이 내재한 결과입니다.

내 마음의 밝기는 내 주변 환경을 보면 알 수 있으며,
이는 나와 비슷한 사람들과 어울림의 반영입니다.
진정한 보석 같은 사람은 여러 어려움 속에서도
그 빛을 드러냅니다.

역경을 극복한 관계 속에서 빛을 발하며,
교감을 이루는 멋진 하루 되어봅니다.

나아갈 방향

자신의 의지로 선택한 길이든, 타의에 의해 선택된 길이든,
우주, 자연, 인간의 삶은 일정한 흐름을 따라갑니다.
때로는 등대 없이 풍랑을 만나 고초를 겪기도 하지만
결국, 제자리로 돌아옵니다.
지나온 흔적을 보며 애써 방향타를 잡아봅니다.
사막에 있어도 북극성을 향해 나아가면
살아갈 길이 보입니다.

나는 어디로 가고 있는가? 내가 나아갈 방향은 어디인가?
삶의 나침반과 방향성을 잃지 않는다면
기꺼이 나아갈 만합니다.
아침 해가 뜨고 저녁노을이 지듯,
매일 써가는 일기장처럼, 잠시 뒤를 돌아보며
방향과 보폭을 살피는 하루 되어봅니다.

흐름을 잘 타는 것

멀리 가려면 함께 가라는 말이 있습니다.
수행도 혼자보다는 도반과 함께해야 합니다.
이는 자기 독단에 빠져
삼천포로 빠지지 않기 위한 경계입니다.

눈에 보이는 것에 속지 말고,
보이지 않는 거대한 물질과 마음,
삶의 흐름을 인식해야 합니다.
하지만 이를 헤아리기란 쉽지 않습니다.
대세의 흐름을 따르지 않고,
오히려 그 흐름을 거스르며 삶을 주도하는
사람들도 있습니다.

세상의 중심을 만들어 가는 이들의 방향성은
종종 그 흐름을 주도하기도 합니다.
이제 내가 원하는 진정한 삶의 방향과 흐름이 무엇인지
생각해보는 시간을 가집니다.

내 인생의 주인이 되어 삶의 흐름을 주도할 것인지,
아니면 남을 의식하며 그저 흐름에 편승할 것인지
잠시 들여다봅니다.

아무리 잘 살아도 결국 삶은 바람과 물처럼
변화무쌍한 희로애락의 단편영화일 가능성이 큽니다.
오늘도 영화의 한 페이지를 써가는 멋진 하루 되어봅니다.

선택의 기로

삶은 매 순간 수많은 선택의 반복이며,
그 선택의 결과가 지금의 나를 만듭니다.
오류를 반복할수록 한계를 알게 되어
선택과 모험을 줄이고 안정됨을 추구하게 됩니다.
선택은 좋은 확률을 위한 자기 결정권이자 행복 추구권입니다.

성공한 인생 이면에는 결과를 잘 받아들이는
프로의식이 있습니다.
행복은 확률 게임이 아니라
수용과 긍정의 마음 바탕에서 나옵니다.
선택의 결과를 잘 받아들여야 합니다.

내가 만든 선택적 가치는 남과 비교하지 말고,
나 스스로와 경쟁하여 행복한 가치를 만들어야 합니다.
오늘도 수많은 선택의 갈림길에서 망설이기보다는
최선을 다하되 결과에 연연하지 않기로 합니다.

모두 다를 뿐

꽃이 화려하면 곤충들이 쉽게 다가와
수정과 번식이 쉽습니다.
반면, 작고 눈에 잘 띄지 않는 꽃은 향으로
곤충을 유인합니다.
각기 다른 환경에서도 생명체는
최적화된 삶의 방식을 가지고 있습니다.
모든 생명체는 각자 생존 방법을 터득하며 살아갑니다.

비교하는 마음은 자만심과 열등감으로 나타납니다.
사실 비교는 틀린 것이 아니라 다양한 존재의 차이입니다.
인간은 서로 경쟁하며 비교하고 열등감에 빠져
불행하다고 아우성칩니다.

모든 개체가 비슷하면 자연은 도태됩니다.
종의 다양성은 면역력을 높입니다.
우리 사회가 건강하고 밝아지려면 서로 다름을 인정하고
소수를 존중해야 합니다.
작고 못생겼다고 불행한 것이 아니라,

비교하고 시비하는 마음이 자신을 불행하게 만듭니다.

자유롭고 행복한 삶은 자신을 묶어놓은 관념에서 벗어나
자존감을 형성하는 것입니다.
자존감이 높은 사람은 자신을 사랑하고
자신의 가치를 멋지게 만들어 가는 사람입니다.
오늘도 물질적 화려함을 좇기보다는
내면의 깊은 향이 풍기는 행복한 하루 되어봅니다.

불안 심리의 작용

불안은 안정되지 못한 상태,
긴장과 초조한 상태를 의미합니다.
이는 마치 어둠 속에서 방향을 잃고
두려움에 휩싸인 마음과 같습니다.
현실을 정확히 인지하지 못하고 반응하게 되는
불안과 긴장의 상태입니다.

불안한 마음은 현실을 직시하지 못하고
망상과 착각에 빠진 상태를 말합니다.
반면, 건강하고 깨어있는 마음은 어둠 속에서
전등이 환하게 켜져 불안과 두려움이 사라지는 것과 같습니다.

상대방을 오해해서 미워했지만,
상대의 상황을 이해하는 순간
미움이 사라지는 경험과 비슷합니다.
지금 이 순간에 깨어있고 무지를 알아차리면
불안한 마음은 나를 지배하지 않습니다.

미성숙한 마음은 항상 깨어있지 못하고
무지에 이끌려 안정된 상태를 유지하지 못합니다.
과거와 미래의 망상에 이끌리지 않고,
불필요한 생각에 지배당하지 않으려면
지금 이 순간에 깨어있으면 됩니다.

현실을 직시하고 순간에 깨어있으면
불안은 즉시 사라집니다.
다가오지 않은 미래에 대해 걱정하지 말고
오늘에 최선을 다하며 깨어있는
주인 된 하루 되어봅니다.

인생의 변곡점

인생은 수많은 선택의 연속이며, 변곡점을 통해
자기성숙을 이루는 과정입니다.
육체가 성장하듯 정신도 성숙해지며,
우리는 어른이 되어갑니다.
주어진 조건이 모두 다르기에
내면의 성숙과 삶의 지혜도 각기 다릅니다.

매 순간, 어느 시점, 인생의 중반과 후반을 지나야만
비로소 인생의 뒤안길이 보입니다.
주어진 조건에서 최선을 다해 만들어 온
수많은 변곡점은 우리의 훈장이 됩니다.
그 아픈 상처들은 온전한 성인으로 성장하기 위한
영혼의 나이테입니다.

이제서야 앞선 선험자들에게 고개를 숙이며,
늦게라도 깨닫고 배우게 되는 드라마 같은 인생입니다.
나를 찾아 떠나는 여정에서 영혼의 성장은 끝이 아닌
또 다른 여정의 변곡점임을 알게 됩니다.

실패에 이끌리지 않기

아기가 걷기 위해서는 수없이 넘어져야
비로소 걸을 수 있습니다.
태권도장에서 수많은 반복 동작을 통해 자신감을 얻습니다.
사회 초년생의 다양한 경험이 건강한 어른으로
성장하게 합니다.

실패와 좌절이란 단어는 원래 없습니다.
이는 패배자의 자기 합리화입니다.
자연에는 수많은 희생과 애씀, 살아내기 위한
몸부림이 있을 뿐입니다.

주어진 것에 순응하면 되는데, 비교와 경쟁에서 비롯된
열등감이 좌절과 실패를 불러일으킵니다.
각자 주어진 능력, 조건, 환경에 맞게 꾸준히
나아가고 살아가면 됩니다.
너무 잘하려는 마음에 실수를
실패로 단정 짓지 않는지 걱정됩니다.

실수 없이 한 번에 잘 되고 원하는 대로 이루어지는 것이
오히려 비현실적입니다.
다만 할 뿐입니다. 조금 빠르고 느릴 뿐입니다.
지금 내가 행복한지가 더 중요합니다.
오늘도 주어진 것에 감사하며 수순하는 마음으로
가볍게 툭툭 털고 일어나 봅니다.

이런 날 저런 날

오늘 하루는 어땠나요? 별다른 일은 없었나요?
매일 그저 그렇기도 하고, 매일 행복해지고 싶기도 하고,
가끔은 나만 불행한가 싶기도 합니다.

동물의 세계에서는 적자생존의 법칙 속에서
하루를 살아내기 급급합니다.
우리의 일상은 안정적이고 평화롭고,
물질과 행복을 추구합니다.
자연에 순응하는 동물들과 달리,
우리는 물질만능주의와 욕구에 따라 삽니다.

동물들은 행복과 불행을 인식하지 못하지만,
우리는 원하는 것을 다 가졌음에도 끊임없이
더 많은 것을 원합니다.

매일 새롭고 다양한 날들이 펼쳐집니다.
내 관념에 따라 불행하다고 느끼거나 즐겁다고 느낄 뿐,
세상은 그냥 움직여지고 살아낼 뿐입니다.

내 생각에 꿰맞추기보다는 자연 친화적인 삶이
더 행복하게 느껴지는 이유입니다.

이미 주어진 많은 것에 감사할 줄 아는
지혜가 필요합니다.
살아있음에 감사하며 의미 있는
매일을 살아냅니다.
욕구에 이끌리는 삶보다는 더 큰 의미를 찾는
지혜로운 하루를 만들어 봅니다.

두 가지를 원하는 마음

두 마리의 토끼가 있습니다.
배고픈 사자는 굶주린 시간을 생각하며
두 마리를 다 잡아먹고 싶어집니다.
그러나 욕심을 부린 탓에 한 마리는커녕
모두 놓치게 됩니다.
처음부터 한 마리에 집중하여
배고픔을 면했더라면 좋았을 것입니다.
내가 원하는 대로 되지 않으면
욕심과 아집에 비례해 화가 커집니다.

뿌린 만큼만 바라고 얻으면 세상은 평화롭습니다.
이루지 못할 욕심과 아집에 사로잡혀 불행을 초래하기보다는
주어진 것에 순응하는 마음가짐을 갖습니다.
욕심을 알아차리고 한 생각을 바꾸면 순간,
행복으로 바뀔 수 있습니다.
오늘도 주어진 것에 감사하며,
억울하게 느껴진 모든 상황이 내 욕심에서 비롯됨을
깨닫고 수순하는 마음 내어봅니다.

인생의 갈림길

갈림길은 미로와 같습니다.
수많은 선택의 결과는 모두 다채롭게 어우러집니다.
각자의 바람이 다르기에 선택도, 과정도, 결과도 모두 다릅니다.
자연은 획일적이지 않고, 수많은 곡선의 조합으로
이루어집니다.

인간의 선택도 존중받아야 할 다양성입니다.
좋고 나쁨의 문제가 아닙니다.
갈림길에서의 선택은 모두 존중받아야 하며,
이를 통해 다음 선택에서 더 현명한 판단을 할 수 있습니다.

오늘도 내 앞에 주어진 갈림길에서 어떤 선택을 하든,
그 결과를 기꺼이 책임지며 또 한 발짝 나아가 봅니다.

불편한 가족 관계

가족은 그 자체로 소중한 존재입니다.
불필요한 수식어가 필요 없는 관계입니다.
그러나 내가 참고 희생했다는 생각이 커질수록
가족에게 화와 불만이 쌓이게 됩니다.
혈육인 가족이 이웃보다 못한 관계로 전락하기도 합니다.

가족에게 묵시적으로 기대했던 만큼 원망도 함께
키우고 있었나 봅니다.
할 수 있는 만큼만 하고 바라지 않으면 되는데,
그 이상을 하고 돌아오지 않으니 원망이 생깁니다.
서운함은 돌아오지 않는 기대와 비례합니다.
지금이라도 그 기대와 바람을 내려놓습니다.
그러면 봄 눈 녹듯 가족과의 관계가 돈독해집니다.

모든 관계의 불화는 내가 옳다는 아집과 바람에서
비롯된 것임을 깨닫고, 기꺼이 마음을 내려놓아 봅니다.
가족은 그 자체로 소중하고 감사한 관계입니다.
전화 한 통화로 모든 갈등을 녹일 수 있습니다.

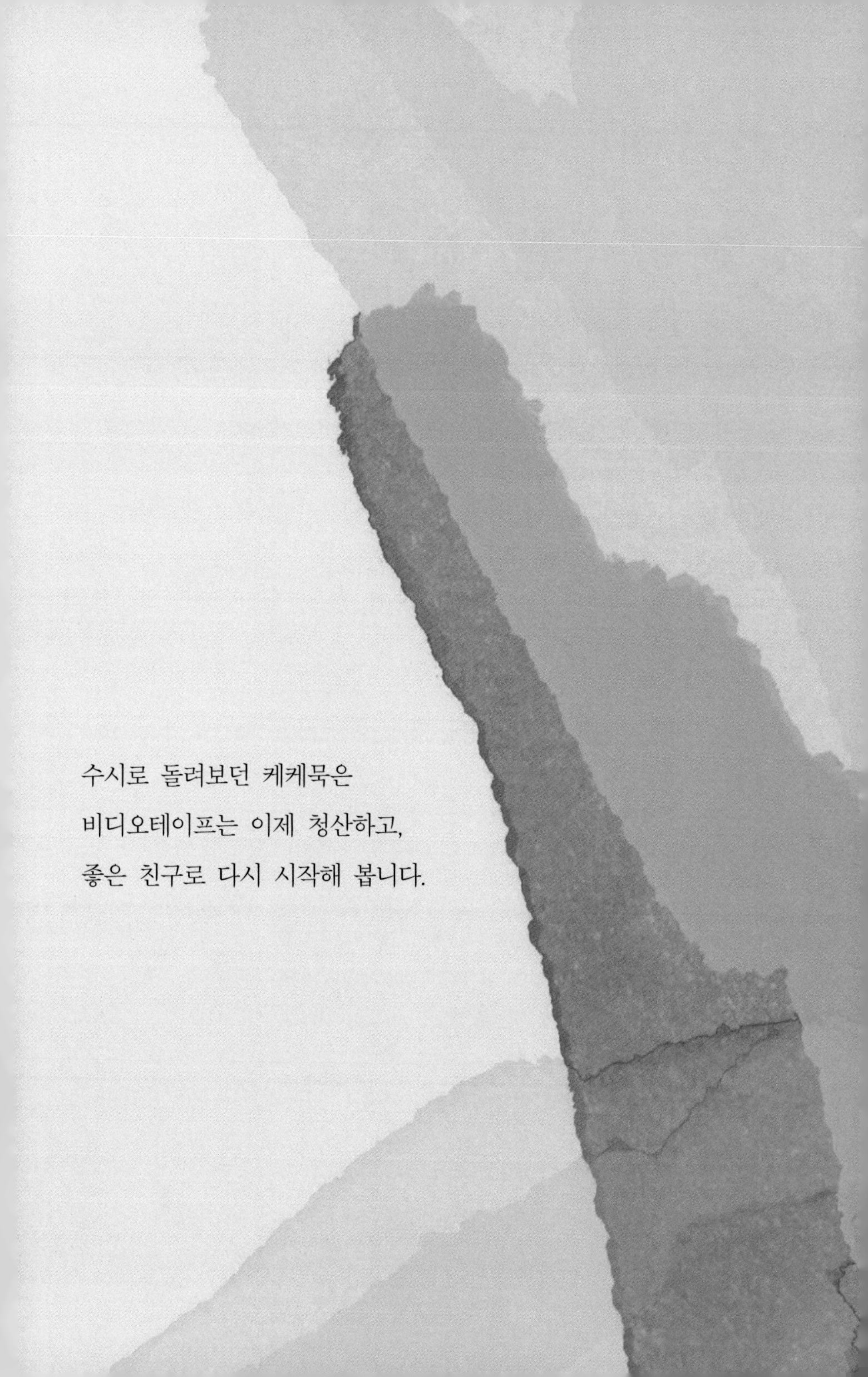

수시로 돌려보던 케케묵은
비디오테이프는 이제 청산하고,
좋은 친구로 다시 시작해 봅니다.

무르익어가는 주름

젊다는 것은 정상 세포가 끊임없이 분열하여
유지되는 상태입니다.
늙음은 노후 세포가 누적되어 수면 세포가 켜켜이
쌓여가는 과정입니다.
몸의 노화로 생긴 주름과 검버섯은 세월의 흔적입니다.
그러나 지혜는 삶의 현실과 부딪히며 얻은 무르익음입니다.

영과 육의 나이는 비슷해 보이지만,
그 이면의 적응적 진화의 헤아림은 사뭇 다르기도 합니다.
세월의 나이테에 이끌리는 사람과 세월의 지혜로 순응하는
사람은 낯빛이 다릅니다.

내 삶의 흔적인 얼굴의 주름과 지혜의 주름은
무르익어가는 과정입니다.

오늘도 강물처럼 흐르는 세월을
기꺼이 받아들이고 수순하는
하루 되어봅니다.

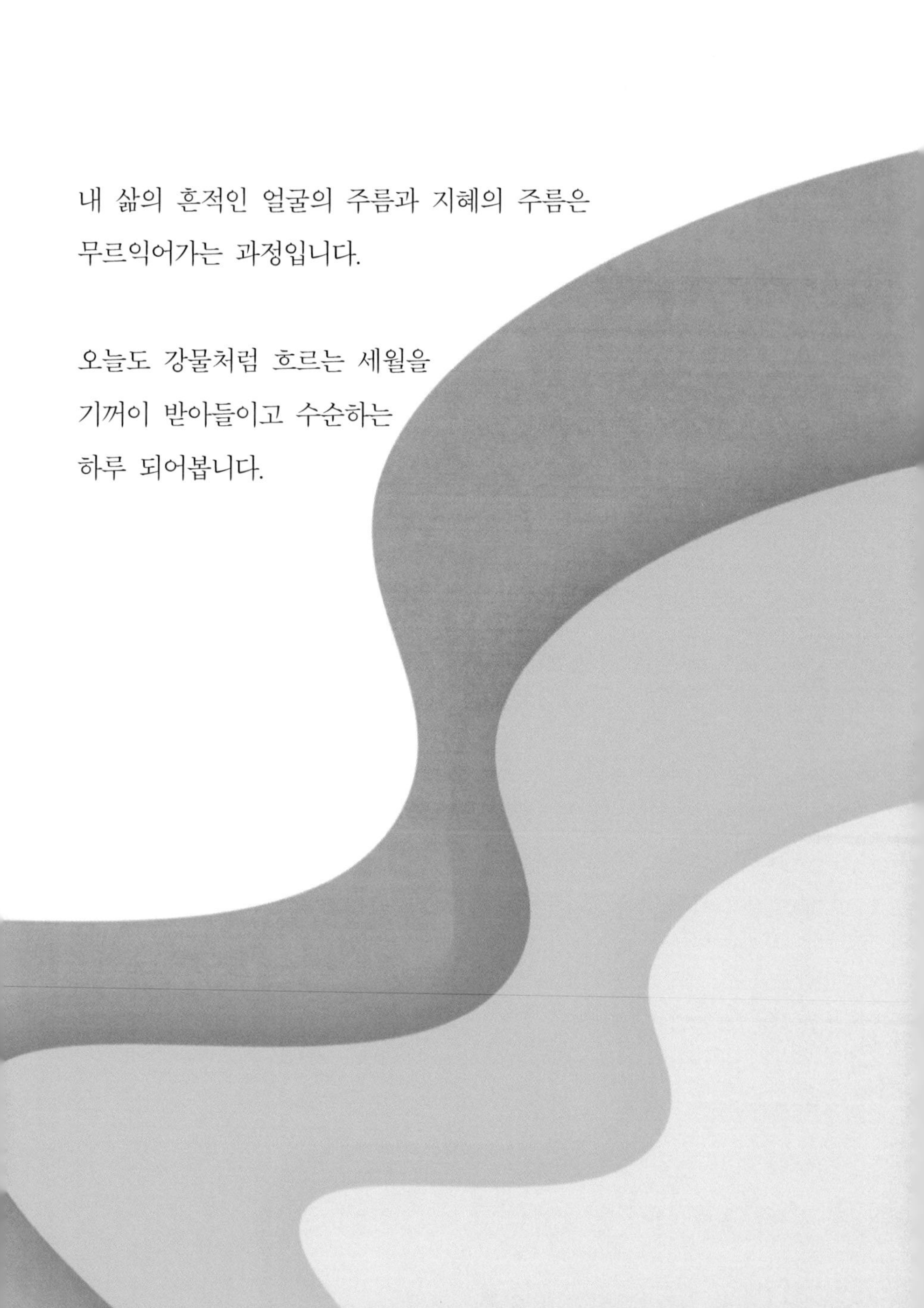

서른 즈음에 보이는 것들

남녀노소 나이에 얽매이기보다는
지금 이 순간 내 안의 나를 관찰하고 살펴야 합니다.
일상의 욕구에 이끌리다 보면 늘 놓치고 후회하며,
되돌릴 수 없는 상황에 놓이게 됩니다.
마음만 조급할 뿐, 자기 합리화와 현실에 익숙해진 나를
알아채지 못합니다.

내 고집이 세고, 아집이 많으며, 잣대가 많고, 허울이 많습니다.
시비가 많고, 수다가 많으며, 관념이 많고, 피해의식이 큽니다.
상처가 많고, 망상이 많으며, 업식이 많습니다.
바꾸지 못하고 바뀌지 않는 이면의 사실들.
시간이 지나야 비로소 알게 되는 것들입니다.

잠시 심호흡을 하고 뒤를 돌아볼 때 비로소 보이는 것들입니다.
시간이 지나서야 주어진 모든 것이 감사하다는 걸 알게 됩니다.
오늘도 일상의 내면을 살피고 주변에 감사한 마음 가져봅니다.

호르몬과 욕구 작용

내가 원하는 일이 이루어지면 좋아하고,
그렇지 않으면 싫어합니다.
내 뜻대로 되는 것이 없는데도 그것을 해내려고
부단히 애씁니다.

이루어지면 우리는 즐겁고 행복하다고 착각합니다.
도파민의 쾌감 호르몬 때문에 또 다른 도전을 하게 됩니다.
하지만 진화론의 적정선을 넘어서 성취와 욕구에 집착하면
호르몬 과다 분비로 인해 충동과 중독으로 이어집니다.

과유불급의 원칙을 지키지 못하면 자율조절이
교란되어 힘들어집니다.
적정한 상태를 잘 유지하는 건강한 뇌와 체세포의 작용은
마음의 평정을 유지하는 것입니다.
오늘도 고요하고 적정한 일상의 평정을 유지하는
깨어있는 하루 되어봅니다.

중년의 지혜

꾸준히, 진득하게, 차분히 하는 마음은
지치지 않는 연속성입니다.
반백 살을 살아도 다 알 수 없는 삶의 철학입니다.
그 가운데 알게 되고 터득되는 것이 삶의 지혜입니다.

멀리 가려면 함께 가고, 속도보다는 방향성이 중요합니다.
눈에 보이지 않는 이치와 진리를 헤아리며 무르익어가는
중년 즈음, 각자의 삶의 무게만큼 진득하게 형성된
삶의 방향과 속도감을 느낍니다.

오늘도 거북이처럼 꾸준히 진득한 마음으로
한 걸음 나아갑니다.

무르익음의 감각

우리는 머리로 하는 공부에 익숙해져 있습니다.
체득은 몸으로 느끼고 알아차리는 감각에서 무르익습니다.
이치와 진리를 탐구하는데 여전히 머리로 생각하고 판단합니다.

일상에서 느끼는 감각,
반복하며 느끼는 감각,
체득하며 느끼는 감각은 무르익고, 깊어지며,
통찰력의 안경이 됩니다.

예민하고 섬세한 알아차림은 체세포의 섬세한 반응입니다.
오늘도 머리로 계산하고 판단하기보다는
몸과 마음의 감각이 무르익는 하루 되어봅니다.

고요하고 평온한 삶

운동이나 일을 하면 숨이 차는 것은 산소 공급과
소모가 많다는 신호입니다.
무섭고 놀라거나 두려우면 가슴이 뛰고 숨이 가빠집니다.
심장은 다양한 상황에 맞춰 속도를 조절합니다.
그러나 우리 몸은 쉼이 필요하고, 재세팅 시간이 필요합니다.
잠을 통해 몸은 바로잡고 성장하며 안정됩니다.

일상의 스트레스를 다독이는 쉼도 필요합니다.
이를 '쉼호흡'이라고 합니다. 들숨과 날숨을 통해
몸과 마음의 안정을 찾는 방법입니다.

고요한 상태를 유지하면
내면의 평온과 자아 성찰을 얻을 수 있습니다.
오늘도 주어진 일상에 감사하며, 매 순간
깨어있는 주인 된 하루 되어봅니다.

인연 따라 사는 세상

우리가 사는 세상과 자연은 모두 연결되어 있습니다.
내가 주도적으로 사는 것 같지만, 보이지 않는
수많은 작용이 있습니다.

인연에 따라 사는 것이 무책임하게 들리겠지만,
이는 가장 근본적인 관계에 대한 알아차림입니다.
다양한 관계를 인위적으로 풀어가기도 하지만,
주어진 상황에 기꺼이 수순하는 마음 바탕은
큰 의미가 있습니다.

인위적 선택에는 다양한 결과가 따르며,
그 결과는 여러 방식으로 나타납니다.
인연은 관계의 형성이지만, 그 이면에는
자연스러운 마음의 작용이 있습니다.
그러나 인연에 연연하고 집착하는 것은 어리석은 행동입니다.
우리는 인연과 마음, 세월에 따라 살아갈 뿐,
정해진 바가 없는 것이 인생입니다.
인생은 그저 흘러가는 과정이며, 인연 과보만 있을 뿐입니다.

시대의 어른

벼가 익으면 고개를 숙이듯,
내공이 쌓이면 겸손해집니다.
어리지만 성숙하면 조숙하다고 합니다.
반면, 나이가 들어도 언행이 경박하면
어른 애 같다고 합니다.

숫자로만 어른이 되는 것이 아니라,
시대의 어른으로 존경받기는 어렵습니다.
진정한 어른은 나이와 상관없이 존경스럽고
고개 숙여지는 사람입니다.
나이와 세월은 무르익어가는 과정일 뿐,
수식어는 무의미합니다.

인도의 담뱃가게 성자는 초라하지만
온화한 아우라가 있습니다.
치장하지 않아도 삶 자체가 깨어있는
부처와 같습니다.

매 순간 잘 무르익어가는 바탕은
마음 농사를 진득하게 지어야 드러납니다.
마음을 잘 살펴 이끌림 없는 주인이 되어
어른다운 하루 되어봅니다.

Part 4

꿈꾸는 자의 여정

자아의 발견

나는 누구인가?
나는 어디서 왔는가?
나의 실체는 무엇인가?

나는 태어나서 지금까지
주어진 상황에 최선을 다하며 살아왔습니다.
그러나 항상 욕구불만이나 행복을 찾아 헤맸습니다.
나는 때로는 자식, 부모, 아빠, 친구, 동료, 이웃,
리더가 되기도 합니다.

때와 상황에 따라 달라지는 나는 누구인가?
진짜 나는 누구일까요?

내가 아빠일 때는 천사 같고,
손해를 볼 때는 악마 같기도 합니다.
분명 나는 나인데,
아바타에 따라 내 의지와 달리 변하는 나.
얼굴은 마음의 거울이고,

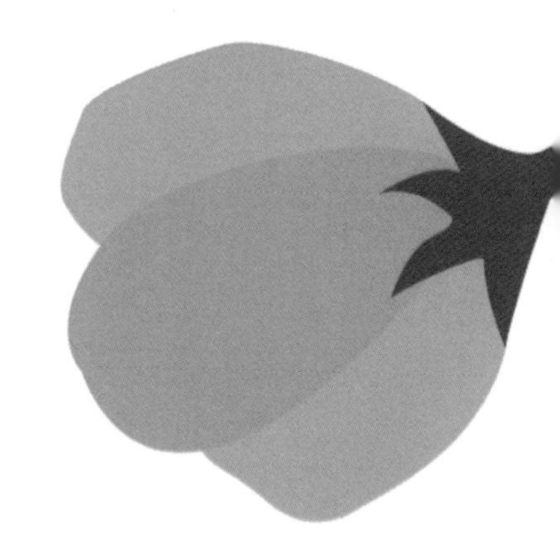

육체는 영혼의 거푸집이라고 합니다.

나는 현실을 살아가며
주어진 몸에 영혼이 깃든 존재입니다.
잠시 빌려 쓰는 몸과 현실에 집착하지 않고
온전한 자아를 발견하는 것이 중요합니다.

무상, 무념, 무아의 상태로 나라는 실체와
집착할 것이 없음을 깨닫는 것입니다.
가짜 아바타의 삶이 아닌 진정한 자아를 깨닫고
주인으로 살아가는 하루 되어봅니다.

리더의 전성기

당신의 전성기는 언제였나요?
당신의 황금기는 지나갔나요?
아직 전성기가 오지 않았나요?
이제 전성기를 시작해 볼까요?

많은 사람이
인생의 쨍하고 해 뜰 날을 기다리며 말합니다.
이미 지나갔거나 아직 맞이하지 못해
묵묵히 걸어가고 있을지도 모릅니다.

전성기를 어떤 기준으로 말하는지에 따라 다릅니다.
그 초점이 흐리면 전성기는 없습니다.
물질을 기준으로 하면 이미 지나갔을 수도 있고,
행복을 기준으로 하면 아직 멀리 있을 수도 있습니다.

사람마다 에이징 커브가 다르기에
제2, 제3의 전성기는 기다리고 있습니다.
사람마다 슬럼프의 차이일 뿐,

주어진 전성기는 꼭 오게 마련입니다.

전성기는 끝날 때까지 끝난 게 아닙니다.

노력하는 사람의 전리품입니다.

성공한 리더의 마음으로 전성기를 일구는

멋진 하루 되어봅니다.

시간의 퍼즐

무엇을 하든 시와 때가 맞아야 그 가치가 빛을 발합니다.
애쓰고 노력한 결과가 무르익어야 그 가치가 더해집니다.
우리는 시공간의 틀 속에 있지만,
시공간을 초월해 볼 수 있습니다.
과거와 현재도 시공간의 틀을 벗어나면 한순간에 불과합니다.
시간의 초침이 나를 지배해도 나는 시간에 지배받지 않습니다.
유한한 삶도 시간의 지배에서 벗어나면 무한해집니다.

내 마음에 아직 동심이 남아있는 것은
시간을 초월한 마음입니다.
시간에 지배받기보다는 주인 된 마음으로
우주를 놀이터로 삼아봅니다.

내가 우주이고, 우주가 나임을 알면
시간은 퍼즐에 불과합니다.
시간에 이끌리기보다는 시간을 다스리는
하루 되어봅니다.

꿈의 나침판, 북극성

어려서는 누구나 원대한 꿈을 꾸며 노력합니다.
그러나 때로는 꿈을 잃고 먹고 사는 데 급급한
자신을 발견하게 됩니다.
꿈이 없는 노력 앞에서 가끔은 나침판을 잃은 듯한
순간이 찾아옵니다.

내가 좋아하는 일을 하고 있는지,
아니면 돈을 벌기 위해 일하고 있는지 돌아봅니다.
꿈은 삶의 희망이자 원동력이며,
기꺼이 나아갈 마음가짐입니다.
중년이 되면 나는 무엇을 향해
어디로 나아가고 있는지 생각해 봅니다.

원대한 꿈이 아니어도 됩니다.
작은 소망이라도 괜찮습니다.
밝은 미래를 꿈꾸고 나아가는 이들이 모이면
작은 불빛이 됩니다.
그 불빛이 누군가에게 이정표가 되고 희망이 됩니다.

오늘도 열정적으로 애쓰는 당신,

누군가에게 빛나는 북극성이 되어 봅니다.

굳건한 믿음

믿음은 관계의 기본이며 신뢰입니다.
믿음은 서로 존중하는 바탕 위에서 형성됩니다.
수많은 주고받음이 있을 때 형성되는 것이며,
내가 믿는다고 해서 모든 것이 그렇지는 않습니다.

이율 배반은 성립의 모순 관계처럼
사람의 심리적 계산기에서 비롯됩니다.
믿음이 클수록 상반된 마음작용도 크게 나타납니다.
상실감 역시 내가 세운 관념의 기준이 강할 때 나타납니다.
믿음은 쌓아가는 것처럼 보이지만,
사실 믿음이란 단어는 형성된 인간의 바람입니다.

믿음은 그저 항상하는 마음 바탕일 뿐,
그것이 항상하지 않아도 큰 문제는 아닐 수 있습니다.
대상에게 바라는 마음 없이 큰 사랑을 할 때,
대상을 있는 그대로 볼 수 있는
더 큰마음이 작용하기 때문입니다.

상대를 믿는 마음 이전에
내 마음가짐이 얼마나 온전한지 살피는 것이 중요합니다.
오늘도 일상에서 깨어있으며 시비 분별하지 않는
여여한 하루 되어봅니다.

끝없는 배움의 열정

열정이 넘치는 할머니를 보았습니다.
전혀 나이 들어 보이지 않았습니다.
말과 행동도 당차고,
무엇보다 눈빛에서 열정이 느껴졌습니다.

외모는 영락없는 할머니이지만,
내면에는 열정이 가득했습니다.
무엇이 그녀를 그렇게 멋지고 당당하게
살아가게 하는 걸까요?
멈추지 않는 삶의 본능일까요?

노화는 나이 대비 피부 상태가 아니라,
마음과 열정의 주름입니다.
나이가 들었다고 쉬는 것이 아니라,
연륜을 주변에 나누고 베풀며 사는 것이
그녀의 삶을 즐겁게 만듭니다.

행복은 외모나 능력이 아닌,

내면의 성숙한 마음가짐에서 옵니다.

멈추지 않는 배움은 늘 가슴을 뛰게 하고,

새로운 것을 탐구하게 합니다.

오늘도 마음을 가다듬고 열정의 배움이 싹트는

하루 되어 봅니다.

경청과 소통

경청은 상대의 말을 잘 듣고 공감해 주는
의사소통 능력입니다.
경청과 리액션을 잘하면 경계가 쉽게 무너지고
신뢰가 생깁니다.

남녀노소 누구나 자기 기준에 따른
옳고 그름이 다 있기에 할 말이 많습니다.
하지만 우리는 모두 자기 기준이 강해
먼저 말하고 설득하려 합니다.
그 순간 상대의 말은 들리지 않고,
나 혼자 시간을 차지하게 됩니다.

관계는 소통이고, 소통은 경청이며,
경청은 신뢰를 형성합니다.
좋은 대화는 상대의 말을 잘 들어주고
공감하는 데서 시작됩니다.
오늘도 경청하고, 상대에 맞추는 마음 교감으로
내 주변의 사슬을 잘 풀어가는 하루 되어봅니다.

감동의 선물

어려서 선물을 주고받지 못하고 자라온 탓에
선물에 인색했습니다.
생일에 친구들을 초대하는 대신,
미역국 한 그릇만 먹어도 기분이 좋았습니다.
가끔 졸업식 때 읍내에서 먹었던 짜장면은
정말 맛있었습니다.

지금은 물질적인 선물에 감흥이 약하고,
형식적인 주고받음이 됩니다.
생일에 받는 카톡 선물과 쪽지는 기분을 좋게 하지만,
그 감정은 오래가지 않습니다.
기대하지 않은 손편지나 가방에 넣어준
사과 한 개가 그립습니다.

주는 것에 익숙한 사람,
받는 것에 익숙한 사람,
주고받기를 잘하는 사람.

지금도 주고받는 것이 어렵습니다.
선물 받는 연습이 안 되어 자란 탓입니다.
주는 것은 할 수 있지만, 상대가 정말 원하는 것이 아닌,
내가 선택한 것을 주곤 합니다.

가장 좋은 선물은
받는 이가 지금 가장 필요한 것을 주는 것입니다.
책, 편지, 용돈, 마음, 공감 등
상대가 필요로 하는 것을 주는 것이 중요합니다.
주고받는 기쁨에 익숙하지 않더라도,
어쩌다 선물도 한 번씩 해봐도 괜찮습니다.

예상치 않은 커피 쿠폰이나 격려의 쪽지도
큰 감동을 줄 수 있습니다.
작은 선물을 주고받는 것은 관계를 더욱
돈독하게 하는 윤활유가 됩니다.
서로 마음을 써주고 위로가 되는 기쁨과
감동의 선물이 오가는 하루 되어봅니다.

진득하게 잘 살아내기

열심히 사는 것과 잘 사는 것은 어감은 비슷하지만
마음의 작용은 사뭇 다릅니다.
열심히 산다는 것은 주어진 것에 최선을 다하는 것이지만,
방향성 없이 무언가를 하는 것입니다.
잘 사는 것은 나와 내 주변의 관계를 고려하여
좀 더 멋지게 삶을 일구어내는 것입니다.

내 뜻대로 되면 성공, 안 되면 실패로 단정 짓기보다는
과정을 중시합니다.
친구와의 경쟁, 가족과 직장의 기대와 실망은
나를 더 내달리게 합니다.
강박 관념에 사로잡혀 앞만 보고 달려온 나를
돌아보지 못합니다.

중년이 되어, 내가 어디로 달려가고 있는지,
이대로 좋은지, 잘 가고 있는지 돌아봅니다.
매 순간이 모여 지금의 내 모습을 형성합니다.
이제 중년에 맞게 속도와 방향을 재정비하여

진득하게 잘살아 봅니다.

느림보처럼, 거북이처럼, 풀을 뜯는 소처럼,
한가한 농부처럼, 꾸준한 마음으로.
매일 새 마음으로 출발하여 주어진 것에 감사하며
최선을 다해 잘살아 봅니다.

내 인생의 스토리

인생은 한 편의 드라마와 같습니다.
파란만장한 삶이 있는가 하면, 안정된 삶의 드라마도 있습니다.
공부로 보면 다양한 경험치가 중요한 덕목이 되기도 합니다.

어떤 이는 현재진행형의 이야기를 만들고,
또 다른 이는 과거와 미래지향적 이야기를 만듭니다.
어제도, 오늘도, 내일도 수많은 장면이 펼쳐집니다.
주인공으로 사는 삶도 있고, 조연이나 엑스트라로 사는
삶도 있습니다.
어떤 이는 베스트셀러를 만들기도 하고, 조용한 뒤안길에
서는 사람도 있습니다.

이 모든 이야기와 결과는
매 순간의 선택과 행동에서 비롯됩니다.
그 순간을 놓치면 이야기를 수정하기 어렵습니다.
그러나 기꺼이 내 삶의 이야기를 받아들이고 인정하면,
그것만으로도 괜찮은 한 편의 드라마가 됩니다.

진정한 삶과 행복은 비교하고 후회하는 것이 아니라,
지금 나를 인정하고 받아들이는 매 순간의 점들의 합입니다.

오늘부터 새로운 장르의 드라마를 쓰고 싶다면,
기존의 생각과 관점을 바꾸어 멋진 캐릭터를 나에게
새로 빙의해 보면 됩니다.

잊힌 독서의 감성

언제부턴가 책이 열리지 않습니다.
제목과 목차만 보고 다시 열지 않으며,
다시 책을 열어도 한두 페이지를 넘기지 못합니다.
종이에 편지를 쓰고, 종이책을 읽고, 독서소감문을 쓴 지
오래되었습니다.

이제 스마트폰, 컴퓨터, 유튜브, 이메일 등
전자 문서와 영상이 그 자리를 대신하고 있습니다.
이에 따라 시청각 기능과 뇌 기능도 빠르게 적응하고 있습니다.
내 마음의 텃밭과 영혼의 감성은 사라지고,
필요한 것만 인식하는 단순 구조에 이끌립니다.

그런데도 좋은 시 한 구절로
지친 마음에 감성의 한 방울을 더해 봅니다.
건강한 생각, 건강한 마음, 건강한 영혼이 자리하는
감성 있는 하루 되어봅니다.

언덕 너머의 헤아림

저 언덕 너머에 무엇인가 있습니다.
내 눈에는 보이지 않을 뿐입니다.
언덕을 넘기 전에는 이것저것 추측할 뿐입니다.
바둑을 두는 사람마다 헤아림과 내다보는 수는 모두 다릅니다.
세상을 살아온 경험과 지혜에 따라 삶을 헤아리는
방식도 다릅니다.

우리는 종종 한 치 앞을 내다보지 못하는
어리석음에 빠집니다.
저 너머, 내 관념으로 알 수 없는 무언가가 있지만,
우리는 미루어 짐작할 뿐입니다.
한 차원을 넘어서는 지혜는 무르익은 랍비의
가르침과 같습니다.

수많은 언덕을 넘어도 헤아리지 못하는 내면의 무지를 봅니다.
영화감독이 수많은 작품을 만들어내는 과정과 같은
무르익음의 한 끗 차이이기도 합니다.

일관된 신뢰

한두 번은 즐겁지만,
지속 가능한 관계와 신뢰는 일관성이 필요합니다.
내 마음이 자주 변해도,
상대와의 신뢰 형성은 꾸준함에서 나옵니다.

말, 행동, 생각, 마음의 한결같음이 바탕이 되어야
마음의 문이 열립니다.
일도 사랑도 상대에게 믿음을 주고 마음을 얻는 것이므로,
진득함이 필요합니다.

다양한 생각과 마음이 어우러지는 것은
순수와 진실함의 합작품입니다.
내 명함에 일관된 이미지를 형성하고 관리하는
멋진 하루 되어 봅니다.

내 마음에 소금 뿌리지 않기

세상에 한 번에 완벽하게 이루어지는 일은 없습니다.
우리는 수많은 실수와 경험을 통해 확률을 높여가는
과정에 있습니다.
머릿속 계산기를 내려놓고 있는 그대로 보는 연습을 합니다.

수많은 실수는 경험의 누적일 뿐, 내공으로 승화된
과거의 산물입니다.
실수를 부정적으로 보지 말고 경험이라는
긍정의 디딤돌로 삼아야 합니다.
우리는 괜찮은 사람들입니다.

깨우침 열린 마음은 고정관념의 오류를
하나씩 풀어 내려놓는 과정입니다.
내 마음에 소금을 뿌리지 않기?
지금 여기에 깨어있기! 매 순간 자각하고 알아차리기!

오늘도 긍정 에너지로 불필요한 망상에 이끌리지 않는
주인 된 하루 되어봅니다.

혈관 정화와 해독

치유의 첫 번째는 예방입니다.
잘 먹고, 잘 싸고, 잘 자는 것이 중요합니다.
두 번째는 유지입니다.
주어진 것을 잘 가꾸고 관리해야 합니다.
세 번째는 청소입니다.
매일 운동과 해독으로 몸 청소합니다.

오늘 생긴 노폐물은
매일 정화하고 배출하는 것이 좋습니다.
그래야 피가 맑아지고,
건강한 세포가 면역력과 항상성을 유지할 수 있습니다.

모든 자동화 시스템에 정화장치가 필요하듯,
신장은 혈관의 청소부 역할을 합니다.
오늘도 몸과 마음이 건강한 하루 되어봅니다.

노년의 건강 관리

어른이든 아이든 먹고 배변하는 일은
하루 중 가장 중요합니다.
아이의 변이 황금색이라면
장이 아주 건강하다는 신호입니다.

움직이기 어려운 부모님의 배변 처리도 중요합니다.
배변은 내 몸 상태를 파악하는 중요한 척도입니다.
변의 색이 검거나 가늘고, 변비나 설사가 있으면
바로 잡아야 합니다.

잘 먹고 잘살려면
잘 움직이고 배변하는 것이 기본입니다.
적당히 먹고 적절히 움직여야
미생물 작용이 원활해져 황금 변이됩니다.
몸 건강은 음식 조절보다
움직임의 자율조절이 더 중요합니다.
건강하고 활기찬 하루를 위해
꾸준히 걷는 습관을 생활화해봅니다.

마음의 해독제 - 집착을 넘어 자유로

발　행 | 2024년 09월 20일
저　자 | 김연준
펴낸이 | 최인선
펴낸곳 | 미르
등록일 | 2023.12.20.(제2023-000008호)
전　화 | 063-244-8740
팩　스 | 0504-485-8741
이메일 | conion@hanmail.net

ISBN | 979-11-987020-2-9